LA MAGIE DU CŒUR

La magie blanche au service de l'amour

UNE ÉDITION DU CLUB QUÉBEC LOISIRS INC.

Dépôt légal — Bibliothèque nationale du Québec, 2000
ISBN 2-89430-453-6
(publié précédemment sous ISBN 2-7640-0425-7)

Imprimé au Canada

Éric Pier Sperandio et Marc-André Ricard

LA MAGIE DU CŒUR

La magie blanche au service de l'amour

INTRODUCTION

La magie peut aider à créer un climat propice à l'éclosion de l'amour. Lorsqu'elle est empreinte d'intentions amoureuses, elle anime l'être pour faire en sorte que les vibrations d'amour qu'il porte en lui le rendent plus désirable, plus magnétique et attirent le partenaire qu'il souhaite ou dont il rêve. Mais une fois que la première étincelle a surgi, la réussite de la relation dépend entièrement des deux personnes impliquées; la magie ne peut forcer le destin: les natures incompatibles le resteront indéniablement, tout comme deux vies qui ne sont pas faites pour se compléter sur le plan karmique ne peuvent être réunies. Ceux qui prétendent le contraire ne savent pas la vraie signification de l'amour!

Avant de réaliser un rituel ou un sortilège d'amour, il importe donc de ressentir une sincérité absolue et d'être fin prêt, émotionnellement, à s'investir dans une relation avec quelqu'un. Mais si l'aspect sexuel ou le plaisir charnel sont les seules motivations de la démarche, il vaut mieux opter pour des formules aphrodisiaques vouées à l'appel de la passion.

La plupart des rituels et des incantations d'amour doivent être effectués le vendredi, durant la phase croissante de la lune – c'est-à-dire de la nouvelle lune au premier quartier de la pleine lune. Dans le même esprit, pour mettre fin à une relation qui ne satisfait plus ou n'est plus désirée, le charme doit se faire lors de la phase décroissante de la lune, c'est-à-dire de la pleine lune au dernier quartier de la nouvelle lune.

Comme nous l'avons souligné précédemment, l'élément essentiel pour mener à bien un «appel à l'amour» est l'existence d'un sentiment profond et authentique. Il est capital d'éprouver de puissantes émotions par rapport à la nature de la demande pour que l'énergie magique se déploie et accomplisse son œuvre. Par exemple, si vous voulez réaliser un charme d'amour pour aider deux de vos amis proches à se réconcilier ou à améliorer leur vie de couple, vous devez désirer sincèrement leur réunion et ressentir profondément le bien-fondé de cette requête.

Cette règle s'applique également lorsqu'il s'agit d'une situation personnelle.

Un autre élément important qui entre en ligne de compte lors d'une séance magique dédiée à l'amour est la visualisation créative, c'est-à-dire l'aptitude que l'on a à imaginer l'accomplissement final suggéré par la demande. Cette faculté amène la matérialisation et la concrétisation de tous les désirs. C'est une habileté naturelle chez certains, mais une prise de conscience qui doit être activée et cultivée (notamment par des exercices de concentration et la pratique de la méditation) chez la plupart des gens qui ignorent tout de ce pouvoir qu'ils possèdent.

Quand l'incantation est prononcée, il est primordial d'atteindre un niveau de concentration total et d'obtenir une image claire et précise du résultat escompté.

Par exemple, lorsque vous émettez un appel d'amour, que vous fabriquez une amulette destinée à conquérir un amour perdu ou que vous effectuez un rituel d'amour, vous devez voir apparaître nettement dans votre esprit les retrouvailles heureuses entre vous et votre partenaire. Sans le ressenti et la visualisation créative, les charmes d'amour ne fonctionnent tout simplement pas.

Ne l'oublions pas: la magie est un domaine dans lequel il faut apprendre à se faire confiance, car les résultats sont nettement meilleurs lorsque l'on réalise soi-même ses incantations, ses rituels, ses amulettes ou ses philtres plutôt que de les faire exécuter par une autre personne. Cette performance personnelle renforce davantage les effets magiques parce qu'ils sont nourris par nos propres émotions et vibrations spirituelles. Patience et persévérance sont donc deux qualités à mettre au programme des débutants en la matière!

Par ailleurs, il faut user des charmes d'amour avec bon sens et discernement, car ils ne sont pas faits pour être utilisés à toutes les sauces, pour tout et pour rien. Si la magie est prise à la légère ou si elle est considérée comme un jeu, la loi karmique s'appliquera, et cette insouciance se retournera inévitablement contre l'abuseur. Les mauvaises intentions et la manipulation d'autrui sont également interdites dans l'élaboration de charmes d'amour, sinon l'on tombe dans le dédale de la magie noire et de ses effets pernicieux.

La magie du cœur, ou magie rose, – qui est en quelque sorte une branche de la magie blanche – vise à attirer l'amour et le romantisme, et certes pas les manigances hypocrites et l'esclavage. Pour éviter qu'une personne soit assujettie, plusieurs magiciens et magiciennes suggèrent d'accomplir les incantations de manière à s'attirer l'amour en général, et non celui d'une personne en particulier. Toutefois, si l'on désire désespérément l'amour de quelqu'un, il ne faut pas oublier d'être assuré et convaincu de la légitimité de cette éventuelle relation et d'en ressentir la sincérité dans chaque fibre de son être. La moindre parcelle mensongère entache l'énergie et peut causer des torts parfois irréparables.

En résumé, pour réaliser des charmes d'amour avec succès, on se doit d'être en harmonie avec les lois de la nature et de la spiritualité. Il importe d'acquérir et de posséder des connaissances en magie, d'être en bonne santé et d'accepter de porter la responsabilité de chacun de ses actes. Il ne faut pas compter obtenir des résultats fructueux si l'on dégage un bas niveau d'énergie et si l'on intoxique l'organisme avec des substances impropres à son bon fonctionnement – consommation de drogues et quantité excessive d'alcool. Le développement de la concentration et de la visualisation, l'assurance de convictions profondes et la synchronisation du travail énergétique avec le mouvement de la lune garantissent à leur tour l'efficacité de l'exercice.

Éric Pier Sperandio

LA LOI DU RETOUR

Vous êtes sûrement au courant de l'existence de cette loi du retour. On la nomme aussi le «choc en retour» ou parfois la «loi du boomerang». Peut-être en avez-vous déjà entendu parler, mais jusqu'à quel point la connaissez-vous? Savez-vous exactement quelles sont toutes les conséquences possibles de votre magie? Si oui, tant mieux. En revanche, si vous n'en êtes pas tout à fait certain, lisez attentivement ce qui suit, car ces informations vous seront des plus précieuses quant à la magie de l'amour.

Toute action amène une réaction, tangible ou invisible – ce n'est pas parce que l'on ne voit pas une chose qu'elle n'existe pas. Ce que vous faites vous reviendra donc par trois fois un jour ou l'autre, d'une manière positive ou négative, dans cette vie ou dans une autre. Méditez sur cette phrase: *Une aiguille ne peut tomber sans en bouleverser tout l'Univers*. Vous demandez-vous ce que cela signifie? L'Univers – ou les plans subtils d'existence – est très sensible, et une simple pensée va avoir sa contrepartie sur le plan mental. Toutes les pensées y sont reliées. Quand une pensée est créée, sa forme apparaît: soit qu'elle naisse sur le plan mental, soit qu'elle se rattache à une forme déjà existante qui exprime cette pensée.

Par exemple, pensez pendant quelques instants à un arbre. Voilà! Cet arbre existe maintenant sur le plan mental. Évidemment, la force déployée à la création de cet arbre a été minime; ainsi en sera-t-il pour votre arbre mental. Pensez maintenant à l'amour que vous aimeriez obtenir. Qu'allez-vous faire? Vous n'avez qu'à visualiser une scène qui exprime cette idée, ce désir. Cette pensée, ce sentiment sera concret de «l'autre côté» – il pourra même avoir une forme quelconque. Votre pensée (ou votre désir intense) est là, et elle pourra être également captée par d'autres, de même que par vous, consciemment ou inconsciemment. Vous pouvez, de la même façon, capter les pensées d'autres personnes.

Concrètement, si vous exécutez un charme d'amour en ne précisant personne en particulier, il est possible qu'une personne inconnue vienne vers vous avec de bonnes intentions amoureuses. Retenez donc que tout ce que vous créez sera multiplié par trois fois. Si vous projetez du positif, vous récolterez du positif; cependant, si vous projetez du négatif, vous recevrez alors du négatif.

En magie d'amour, il est très facile de tomber dans le piège de la *pseudo-magie noire*. Imaginez que vous vous exprimiez ainsi par le biais d'un charme ou d'un rituel: *Je veux qu'un tel m'aime*. Quand une personne intervient dans le schème de vie d'une autre personne (dans le contexte de la magie), elle commet une ingérence dans le libre arbitre de celle-ci; elle influence ses pensées et ses désirs qui lui sont propres, le tout pour assouvir des besoins égocentriques qui peuvent parfois ne pas être aussi évidents à discerner. Qu'arrive-t-il dans ce cas-là? Vous interférerez avec la liberté d'autrui. Dans l'éventualité que votre sort fonctionne, que la personne visée tombe amoureuse de vous, vous aurez en quelque sorte créé un piège pour prendre cette personne: la cible vers laquelle vos pensées ont été dirigées aura reçu votre pensée-désir et l'aura assimilée, pensant que cela venait d'elle-même et prenant votre désir pour le sien. En agissant de la sorte, vous aurez commis une faute karmique dont vous devrez vous acquitter un jour ou l'autre.

Et même si votre sort ne semblait pas vous apporter les résultats escomptés, vous pourriez vous-même vous prendre au piège! Car retenez que vos pensées, maintenant réelles sur le plan mental, peuvent revenir vers vous si jamais elles rataient leur cible. Or vous les ressentirez et sombrerez dans un désespoir qui pourrait sembler ne plus avoir de fin, car vous serez alors trois fois plus amoureux qu'auparavant de cette personne!

Bien sûr, vous pouvez décider de ne reculer devant rien et de jeter un charme à la personne de votre choix, à celle qui fait battre votre cœur nuit et jour, mais retenez qu'en agissant contre son libre arbitre, vous serez à découvert contre la loi karmique et celle du retour.

LES PURIFICATIONS

Comme un artiste peintre choisit un endroit tranquille et loin de toutes les distractions pour peindre ses tableaux, vous devrez vous aussi préparer votre temple – ou l'endroit où vous pratiquez la magie – de façon que ce lieu soit propice à la pratique de votre art. Cette préparation est nécessaire parce qu'il y a de fortes chances que des entités ou certaines formes d'énergies quelconques puissent être présentes dans la pièce à tout moment. Vous ne désirez sûrement pas voir une présence extérieure, que vous n'auriez pas appelée, même si elle n'est pas nécessairement menaçante ou mal intentionnée pour autant, influencer et interférer dans vos sortilèges et charmes, n'est-ce pas?

Vous aurez donc à purifier votre espace de pratique magique pour chasser ces influences indésirables, de même que d'autres influences négatives et invisibles qui peuvent y résider. En d'autres termes, avant de conduire un rituel, vous devrez faire le grand ménage! Il existe de nombreuses manières d'y parvenir. Celle qui vous sera enseignée ici est utilisée depuis fort longtemps par les sorciers et les sorcières; il s'agit de la purification par l'eau et par le feu.

Vous avez sans doute déjà entendu parler de cette méthode. Mais, même dans ce type de purification, vous pouvez y retrouver plusieurs variantes. En voici donc une qui a été mise à l'épreuve depuis la nuit des temps et qui s'est avérée très efficace.

RITUEL DE PURIFICATION

Ingrédients et accessoires

- une coupe d'eau
- une assiette de sel
- de l'encens d'oliban

Rituel

Versez une poignée de sel de table dans une coupe remplie d'eau fraîche. Au moment où le sel touche la surface de l'eau, visualisez un éclair blanc jaillissant de la coupe et irradiant la pièce – cela représente la lumière purificatrice. Dites au même moment:

Eau et terre, eau et sel, l'obscurité est chassée par la lumière.

Rendez-vous à l'est de la pièce et, à partir de ce point, faites-en trois fois le tour dans le sens des aiguilles d'une montre. Chaque fois que vous passez devant l'un des points cardinaux, aspergez un peu d'eau avec le bout de vos doigts. Vous pouvez aussi répéter l'incantation précédente tout en déambulant lentement dans la pièce.

Prenez ensuite l'encens et dites, en l'allumant:

Feu et air, fumée et air, l'astral et le mental sont purs et clairs.

Rendez-vous à l'est de la pièce et, à partir de ce point, faites-en trois fois le tour dans le sens des aiguilles d'une montre, soufflant sur la fumée chaque fois que vous passez devant l'un des points cardinaux. Ici encore, vous pouvez répéter l'incantation précédente tout en déambulant lentement dans la pièce.

Puis, revenez au centre de la pièce et dites:

Mon temple magique est purifié, cela est fait.

Vous trouvez peut-être que ce petit rituel est très simpliste. En effet, vous n'avez pas tort. Par contre, n'allez surtout pas sous-estimer sa puissance! Il est parfait dans son rôle de purificateur: rapide à effectuer, simple à mémoriser, peu complexe et ne demandant que peu d'accessoires. En quelques secondes, vous aurez ainsi réussi à purifier votre espace de travail – votre temple – dédié à toutes vos opérations de magie.

LES CERCLES MAGIQUES

Nous vous présentons ici trois façons de préparer vos rituels amoureux. Le cercle magique sera la première action concrète à faire après les purifications, avant même que vous procédiez au rituel. Il vous permettra de centrer toute votre énergie en son centre afin d'amplifier toute la puissance requise pour exécuter vos rituels et vos sortilèges.

Or, comme vous allez maintenant l'apprendre, même si le cercle est considéré comme une base, il peut être tracé de différentes façons. Voyons d'abord trois différents types de cercle construits par analogies.

- Analogie divine: le cercle est basé sur les correspondances des divinités à invoquer.
- Analogie planétaire: la couleur du cercle est associée aux planètes Vénus ou Mars.
- Analogie élémentaire: c'est le cercle élémentaire, c'est-à-dire le cercle d'eau ou de feu.

LE CERCLE D'ANALOGIE DIVINE

Ce cercle est essentiellement basé sur la divinité que vous invoquerez dans votre rituel. Si, par exemple, vous faites un rituel qui demande la présence d'Aphrodite, vous utiliserez cinq bougies vertes sur lesquelles sera gravé le nom de la divinité. Vous placerez une de ces bougies à chaque point cardinal, sur le sol, et vous disposerez la cinquième sur votre autel.

LE CERCLE D'ANALOGIE PLANÉTAIRE

Ce cercle est construit en correspondance avec la planète prédominante dans le rituel. Il est utilisé en général pour les rituels qui n'exigent pas le concours d'une divinité. On peut donc dire que ce sera le cercle standard en magie d'amour. Les cinq bougies utilisées seront vertes pour Vénus, et rouges pour Mars.

LE CERCLE D'ANALOGIE ÉLÉMENTAIRE

Comme son nom l'indique, ce cercle est construit en accord avec l'élément avec lequel vous travaillerez. L'élément eau est associé aux sentiments et à l'amour, tandis que l'élément feu est davantage relié à la volonté, à la force et au désir sexuel. Vous utiliserez toujours cinq bougies (bleues pour l'eau et rouges pour le feu), lesquelles seront placées sur le sol, face aux quatre points cardinaux, tandis que la cinquième sera disposée sur votre autel.

COMMENT TRACER LE CERCLE

Il y a une conception que vous devez retenir pour ce qui est des cercles magiques. Sachez que le cercle dans lequel vous vous tiendrez ne constitue pas seulement un moyen de protection ni une lentille pour y conserver l'énergie produite pendant le rituel. En son centre, vous deviendrez la représentation d'un tout, l'Un. La perfection dans la perfection, le microcosme dans le macrocosme. En outre, le cercle *physiquement* tracé sur le sol agit comme support mental, ce qui veut dire que vous pourriez vous passer de le dessiner, pour autant que vous puissiez le visualiser en tout temps.

Pour commencer, assurez-vous de disposer d'un espace assez grand pour y tracer un cercle d'environ 6 pi (2 m) de diamètre. Si vous avez un athamé ou une baguette magique, utilisez l'un ou l'autre, sinon l'index de votre main droite fera l'affaire, pour délimiter le contour de votre cercle; si vous préférez vous servir d'une craie ou d'un ruban pour délimiter ce cercle, ayez à portée de la main ce dont vous avez besoin. Après avoir ensuite disposé tout votre matériel sur votre autel à l'intérieur du cercle que vous vous apprêtez à tracer, placez-vous face à l'est.

Pointez votre athamé, votre baguette ou votre index vers le sol et commencez à tracer votre cercle mentalement, en suivant le sens des aiguilles d'une montre – vous aurez terminé lorsque vous serez revenu à votre point de départ, face à l'est. Imaginez aussi, à mesure que vous progressez, que l'outil que vous avez choisi (athamé, baguette ou votre doigt) laisse une traînée de feu sur le sol. Essayez même d'imaginer le crépitement que font les flammes tout autour de vous. Si vous avez choisi de tracer le cercle avec une craie ou de le délimiter avec un ruban, suivez le même processus.

Une fois que vous avez délimité le cercle et que vous êtes revenu face à l'est, allumez la première bougie qui demeurera en tout temps sur votre autel. À partir de celle-ci, allumez-en une deuxième que vous irez porter de façon solennelle à l'extrémité intérieure du cercle à l'est. Retournez derrière votre autel (toujours en vous déplaçant dans le sens des aiguilles d'une montre), allumez une autre bougie que vous irez porter face au sud. Poursuivez ainsi pour l'ouest et le nord.

Votre cercle est à présent physiquement et mentalement tracé. Il ne vous reste plus qu'à le «charger». Selon le type de cercle que vous avez choisi, vous allez maintenant canaliser l'énergie requise pour terminer le travail.

Concentrez-vous et imaginez fortement que vous êtes au centre de l'Univers; une grande sphère de lumière brillante et étincelante se trouve à quelques mètres de vous. La couleur de cette sphère dépendra du type de cercle choisi.

- Le cercle d'Analogie divine: créez un lien avec la divinité de votre choix (la sphère) en vous reliant à elle; pensez aux aspects qu'elle représente.
- Le cercle d'Analogie planétaire: créez un lien avec la force vénusienne ou martienne; pensez à l'amour ou au désir physique et sexuel.
- Le cercle d'Analogie élémentaire: créez un lien avec l'élément de votre choix; visualisez ses caractéristiques (eau: humide et froid; feu: chaud et sec).

Après quelques instants de méditation, dites à voix haute:

Je demande, ici et maintenant,
À la force que j'invoque
D'être présente avec moi.
Je le demande, qu'il en soit ainsi.

Tout cela vous paraîtra peut-être compliqué, mais ne vous en faites pas: avec un peu de pratique, tout ce qui vient d'être décrit se fait rapidement. Dix minutes tout au plus vous suffiront pour bien construire votre cercle des opérations de l'amour. Ne vous découragez surtout pas! Il faut savoir travailler pour arriver à ses fins...

LES DÉESSES ET LES DIEUX DE L'AMOUR

Depuis la nuit des temps, l'homme s'est entouré de multiples divinités, lesquelles possédaient et possèdent toujours des forces dans des domaines d'intervention bien précis pour aider les humains à affronter leurs problèmes. Ces divinités étaient-elles de véritables entités ou simplement des créations de l'homme? Cela n'importe plus guère, car ces êtres existent bel et bien aujourd'hui, sous forme réelle ou *égrégorique*. Ce que cela implique, c'est qu'ils sont là et qu'ils peuvent répondre à nos requêtes.

Nous pouvons tous puiser dans ces forces pour atteindre divers buts.

C'est exactement ce que vous pourrez faire pour augmenter la puissance de vos rituels amoureux et, du même coup, pour favoriser votre réussite. Il est exact de dire qu'il y a plusieurs déesses et dieux qui possèdent les mêmes attributs; vous pouvez alors simplement choisir celui ou celle qui vous attire le plus. Fiez-vous à votre intuition!

LES DÉESSES

• *Aphrodite*

Ancienne déesse grecque de l'amour et de la beauté, elle préside également sur l'amour des hommes, les mariages et le couple. D'une beauté incroyable, elle est représentée par de longs cheveux blonds, de beaux yeux bleus et avec la peau pâle. C'est la déesse la plus invoquée dans les rituels exécutés par les praticiens de l'art magique.

• *Astarté*

Ancienne déesse phénicienne de l'amour et de l'abondance, elle symbolise tous les aspects du principe féminin, tout comme sa contrepartie Baal (ou Bael), qui symbolise le principe masculin. Elle est habituellement représentée portant des robes de flammes et tenant un arc et une épée.

- *Creirwy*

Déesse celtique de l'amour et de la beauté, fille de Keridwen (Cerridwen).

- *Erzulie*

Déesse d'amour du panthéon vaudou, elle préside à l'amour, à la beauté et à la féminité. Elle est représentée comme une belle jeune femme portant plusieurs anneaux et colliers d'or. Son symbole est un cœur transpercé. Elle est la contrepartie d'Ogun, dieu du feu et de la guerre, ainsi que d'Agwe, dieu des mers.

- *Esmeralda*

Déesse d'Amérique du Sud, elle préside à la beauté et à l'amour. Le vert émeraude est sa couleur et l'émeraude, sa pierre.

- *Freya*

Déesse scandinave de l'amour, de la beauté, mais aussi de la guérison, elle est la contrepartie du dieu-soleil Odur. Elle est représentée comme une superbe femme blonde aux yeux bleus voyageant dans les airs sur un chariot. L'ambre est sa pierre; les chats, ses familiers; des larmes d'or, son symbole.

- *Habondia*

C'est la déesse des sorciers et des sorcières. Connue comme *la Dame des Délices*, elle porte aussi d'autres noms: Diane, Hécate, Ariadne, Ariane, Hérodias. Elle est la déesse lunaire et préside aussi à l'amour. Elle est vêtue d'habits d'argent, sa longue et soyeuse chevelure flottant dans la nuit. Elle porte une couronne de fleurs et de tiges de blé, et tient une colombe à la main droite.

- *Inanna*

Ancienne déesse sumérienne de l'amour et de la guerre, elle fut par la suite identifiée par les Babyloniens comme Ishtar.

- *Ishtar*

Grande figure du panthéon babylonien, elle préside à l'amour et à la fertilité, et est alors compatissante, douce, tendre et amoureuse. Elle est aussi la déesse de la guerre, et devient alors cruelle, agressive et terrifiante.

- *Kades*

Ancienne déesse de l'amour, de la beauté et de la sexualité, elle est représentée comme une belle femme nue chevauchant un lion et tenant des serpents dans les mains.

- *Vénus*

Cette ancienne déesse romaine de l'amour et de la beauté représente la sexualité, la fertilité ainsi que la prospérité. Elle symbolise également le charme, la beauté suprême et le désir profond. Elle a comme symbole la colombe, le cygne, le dauphin et la rose. Vénus est l'une des déesses les plus connues et les plus invoquées.

LES DIEUX

- *Amor*

Dieu romain de l'amour érotique, il influence la psyché des gens, l'emplissant de pensées d'amour et de passion.

- *Angus*

Dieu celte de l'amour et de la beauté, patron des jeunes, il est reconnu pour sa chevelure dorée et son physique avantageux. De sa harpe, il joue de douces mélodies et ses baisers se transforment en oiseaux étincelants qui volent au-dessus des jeunes couples.

- *Bes*

Ancien dieu égyptien du mariage à l'apparence d'un nain, portant une barbe et un couvre-chef en plumes d'autruches, il est le patron de la danse, de la musique. Il est protecteur des femmes enceintes et des rêves.

- *Cernunnos*

Dieu des sorciers et des sorcières, il a une apparence mi-humaine, comme Pan. Phallus en érection et yeux brillant dans la nuit, il préside aux rituels amoureux à tendance sexuelle.

• *Éros*

Représenté dans la mythologie comme l'une des forces primaires de la nature, ce dieu grec préside à l'amour érotique. Il est représenté comme un jeune homme ailé aux cheveux dorés et bouclés.

• *Hyacinthus*

Dieu invoqué généralement par les sorciers et les sorcières gais, en raison de son attitude permissive face à ce genre de relations.

• *Hymen (ou Hymenaeus)*

Dieu des mariages et des festins d'union, fondateur des droits du mariage, il a l'apparence d'un jeune homme, parfois ailé, aux cheveux dorés, avec un visage aux traits féminins.

• *Kama*

Dieu hindou de l'amour et du désir, il a reçu le présent de la jeunesse éternelle. Il est représenté comme un superbe jeune homme chevauchant un éléphant et tenant son arc d'amour ainsi que des flèches fleuries.

• *Xochipilli*

Dieu aztèque de l'amour, du mariage, des fleurs, de la musique et de la jeunesse, conjoint de la déesse Xochiquetzal, il est une figure importante du rite de la fertilité.

LES HERBES ET LES ENCENS POUR L'AMOUR

S'il existe en magie d'amour un médium utilisé plus que tous les autres, il s'agit bien des herbes et des plantes. Tous les sorciers et toutes les sorcières se servent des fruits de la Terre-Mère: la nature et sa flore. Au Moyen Âge, quelques-unes de ces herbes destinées aux charmes d'amour étaient souvent cueillies la nuit du 23 juin (veille de la Saint-Jean-Baptiste). Idéalement, vous devriez cueillir vous-même et au moment propice les herbes et les plantes que vous utilisez lors de vos rituels. Je vous recommande donc à cet effet de vous munir d'un ouvrage traitant des plantes sauvages de la région de façon que vous soyez en mesure d'identifier les différentes espèces qui arborent nos champs et forêts, et il y en a beaucoup plus que vous ne pouvez l'imaginer.

Évidemment, il n'est pas toujours possible de faire ainsi, surtout pendant la froide saison. Or si vous devez acheter vos herbes dans une herboristerie ou une boutique ésotérique, par exemple, assurez-vous qu'elles sont les plus fraîches possible. Dans le cas échéant, une légère consécration sera nécessaire avant de faire usage de vos achats. Un petit truc: l'utilisation de flacons à épices bien étiquetés (pour éviter la confusion dans votre cabinet d'herbes) s'avérera un bon investissement pour ranger vos produits à usage magique.

Dans le tableau suivant, vous trouverez quelques herbes simples – ou herbes d'amour – dont vous aurez besoin lors de vos rituels amoureux. Elles sont en majeure partie destinées à une utilisation externe (vous remarquerez cependant que toutes les herbes d'amour peuvent être utilisées pour les œuvres magiques à l'exception des philtres, ce qui explique pourquoi certaines herbes se répéteront dans les tableaux). Pour une liste d'herbes propres à la consommation, veuillez vous reporter au chapitre des philtres d'amour (voir à la page 75).

bardane	fenouil	herbe à chat	magnolia	primevère	thym
basilic	fleurs d'oranger	iris (racine)	mandragore	racine d'Adam et Ève	tulipe
bruyère	genévrier (baies)	jasmin	marguerite	radicelle	verge d'or
cannelle	géranium rose	laurier	orchidée	rose	verveine
coriandre	ginseng	lavande	patchouli	santal	violette
crocus	gui	lotus	quintefeuille	souci	ylang-ylang

L'UTILISATION DES HERBES MAGIQUES

Les herbes du tableau apparaissant ci-dessus seront employées de différentes manières selon l'usage nécessaire. Vous les utiliserez fraîches ou sèches, broyées ou en poudre, selon le type de travail que vous aurez à effectuer au moment voulu. Principalement, vous vous servirez des herbes et des fleurs pour garnir votre table-autel lors de rituels amoureux et de sentiments, pour confectionner vos sachets et oreillers magiques ou pour fabriquer vos poudres qui seront utilisées pour saupoudrer soit certains objets à charmer lors de vos rituels, soit les différentes pièces d'une maison ou d'un établissement. Vous pourrez aussi bien vous en servir comme bourre pour remplir vos poupées d'amour ou en vue d'une macération potentielle dans le but de fabriquer des huiles magiques pour les opérations de Vénus et de l'amour.

Vous pouvez dès lors voir qu'une multitude de possibilités s'offrent à vous. Je vous encourage à l'expérimentation. Essayez plusieurs herbes, surtout celles qui évoquent en vous un fort désir d'amour. Vous verrez que, souvent, ce seront ces mêmes herbes qui s'avéreront les plus efficaces pour vous.

LES ENCENS

Les encens d'amour ont toujours été reconnus comme l'une des composantes les plus utiles lors de la pratique de rituels amoureux. Ils créent la vibration nécessaire dans le temple magique, l'espace que vous vous réservez pour vos pratiques, ajustant ainsi la densité vibratoire au niveau requis. Cet ajustement est essentiel et vous en aurez besoin pour tous les charmes d'amour et autres rituels que vous ferez. En plus, la fumée étant un agent intoxiquant (non dans le sens de mortel!), elle ajustera votre mental à la bonne fréquence, le rendant apte à s'aligner facilement sur la longueur d'ondes nécessaire pour pratiquer le rituel.

L'emploi des encens en tant que tel est très simple et ne requiert tout au plus qu'un encensoir (dans lequel vous mettrez au préalable un peu de sable dans le fond comme agent isolateur contre la chaleur pour ne pas brûler votre autel) et une pastille de charbon (que vous pouvez trouver dans toutes les boutiques ésotériques). Allumez la pastille avec une allumette et lorsque celle-ci est rougeoyante, déposez-y une petite quantité d'encens. C'est aussi simple que cela.

Les recettes que vous trouverez plus loin sont reconnues auprès des sorciers et des sorcières depuis fort longtemps et ont toujours apporté le succès lors d'une utilisation appropriée. Vous remarquerez probablement certaines ressemblances avec les poudres utilisées lors de la confection des oreillers magiques, que vous trouverez dans un prochain chapitre, ce qui est tout à fait normal puisque les poudres et les encens ont la même influence pour un même but donné.

Sauf indication contraire, tous les encens sont composés de parties égales des herbes suggérées – lorsque ce n'est pas le cas, vous trouverez le nombre de parts entre parenthèses. Si vous prévoyez utiliser fréquemment un encens particulier, il serait peut-être mieux de vous en fabriquer un volume plus important afin de ne pas avoir à recommencer chaque fois tout le processus de préparation.

Les encens suivants sont de loin les plus populaires tant pour leur puissance que pour les résultats potentiels qu'ils peuvent vous procurer. Nous n'avons précisé, dans les rituels, aucun encens spécifique, pour justement vous laisser le choix de celui que vous désirez utiliser – tous sont efficaces. Cela dit, si vous ne souhaitez pas concocter vous-même vos encens (ou si vous ne trouvez pas les ingrédients pour les préparer), vous pouvez recourir à l'encens d'oliban, sans qu'il y ait pour autant perte d'énergie ou puissance du rituel, car il s'agit là de l'encens de substitution par excellence.

ASTARTÉ

- santal
- rose
- huile d'orange ou fleurs d'oranger
- jasmin

À brûler dans la pièce où les amoureux doivent se retrouver. Plaît aux bonnes entités. Merveilleux pour les couples.

ATTRACTION

- patchouli
- verveine
- cannelle
- vétiver

Pour inviter le sexe opposé à la passion.

CCC (1)

- patchouli (4)
- vétiver (4)
- lime (1)
- laurier (1)

Pour vous faire aimer selon votre volonté et à votre guise.

CCC (2)

- iris
- patchouli
- cannelle
- bois de santal
- girofle

Pour vous faire aimer selon votre volonté et à votre guise.

CERNUNNOS

- pin
- santal
- civette
- valériane
- musc
- cannelle
- armoise

Pour invoquer Cernunnos, ou dans tout charme ayant pour but d'exciter un désir charnel *(à utiliser avec précaution)*.

CLÉOPÂTRE

- écorce de pin (2)
- bois de santal (3)
- iris (1)
- patchouli (1)
- myrrhe (1)
- oliban (1)

Pour les problèmes reliés à l'amour. Pour l'attirance sexuelle. Aphrodisiaque.

CONTRÔLE

- girofle
- vétiver
- storax

Pour les rituels amoureux; pour contraindre un partenaire à céder à son désir de passion.

EAU

- menthe
- rose
- verveine

À utiliser lorsque la présence de l'élément eau est requise.

FEU D'AMOUR

- patchouli
- civette
- musc

Pour produire un charme d'amour mystique et pour amener le sexe opposé vers vous. Augmente le désir sexuel.

FEU DES PASSIONS

- patchouli
- civette
- musc
- pin

Pour vous faire désirer plus passionnément. Élimine la résistance aux avances. Formule très puissante *(à utiliser avec précaution)*.

LA FLAMME

- cannelle
- galanga
- laurier

Pour vous rendre plus excitant face au sexe opposé; une trop grande utilisation en présence de votre bien-aimé pourrait susciter la possessivité et la jalousie *(à utiliser avec précaution)*.

MAÎTRE DU DÉSIR

- cannelle
- santal rouge
- poivre de Cayenne

Pour gagner en puissance sur le sexe opposé ardemment désiré *(à utiliser avec précaution).*

NUITS ARABES

- santal
- musc
- myrrhe
- épices à steak

Pour attirer plusieurs nouveaux amis. Les gens vous trouveront plus charismatique et intéressant. Très bon pour les amours potentielles.

SÉPARATION

- poudre de chili
- cannelle
- galanga
- poivre noir
- limaille de fer
- vétiver

Pour séparer deux partenaires amoureux; pour mettre un terme à une relation amoureuse.

TEMPLE ÉGYPTIEN

- myrrhe
- baume de Galaad
- oliban
- pelures d'orange
- lotus

Pour bannir les mauvaises influences et pour faire du temple magique un endroit sacré propre aux rituels d'amour; agent purificateur.

VÉNUS

- lavande
- camomille
- cannelle
- pétales de rose
- musc
- patchouli
- iris

Pour les rituels amoureux en général, et pour les rituels sous les auspices de la planète Vénus.

VIENS À MOI

- rose
- jasmin
- gardénia
- feuilles de citron

Pour contraindre une personne étrangère à ressentir une forte attirance amoureuse ou sexuelle envers vous *(à utiliser avec précaution)*; puissante recette d'attraction.

COMMENT AGISSENT LES RITUELS

Lorsque l'on pratique l'art de la magie, il est naturel d'y avoir recours pour tenter d'améliorer son destin amoureux. Cela dit, il faut aussi être réaliste : on ne peut obtenir quelque chose sans rien donner en retour. La façon dont la magie fonctionne est proportionnelle à l'énergie que vous mettez dans vos sortilèges ou vos rituels. Votre pouvoir de concentration est très important, car c'est votre attention et votre désir qui catalysent votre souhait et le concrétisent.

Au contraire de ce que l'on pourrait croire, la magie fonctionne rarement de façon instantanée. C'est un processus qui, lentement, transforme votre souhait en réalité; on est loin des clichés du cinéma américain et de la télévision qui font croire qu'il suffit de dire un mot, de bouger quelque peu les doigts pour que se matérialise devant vos yeux l'objet de vos désirs.

La magie se sert d'énergie pour réaliser vos vœux; une fois que vous en comprendrez le principe, vous arriverez à faire vos rituels plus facilement – et les réussir. Cet art demande de la détermination et de la patience, et est soumis à la loi de l'action et de la réaction. Comme toute chose, le résultat d'un sortilège ou d'un rituel est proportionnel à l'énergie, plus précisément à la concentration et à l'attention que vous y mettez.

Cela ne veut pas dire que vous devez souffrir dans des positions inconfortables pendant des heures; au contraire, car ce genre d'attitude ne vous aidera pas du tout. Ce qu'il faut vous rappeler, c'est que lorsque vous conduisez un rituel ou que vous préparez un sortilège ou une potion, vous ne devez pas penser à autre chose pendant ce temps-là. Il faut concentrer toute votre énergie, toute votre attention à ce que vous faites. Vous devez croire en vous et en ce que vous faites même si, parfois, certains gestes vous semblent un peu ridicules. C'est là tout le secret.

La meilleure chose pour réussir vos sortilèges, c'est d'ailleurs de chercher à mettre de côté vos croyances ordinaires pendant le temps où vous pratiquez vos rituels et sortilèges; vous devez croire en ce que vous faites et être convaincu que vous méritez ce que vous demandez. Dans la pratique de la magie, vous pouvez devenir votre pire ennemi si vous doutez de vous: si vous pensez que vous n'arriverez jamais à rien, toute l'énergie ne servira qu'à nourrir vos convictions profondes au lieu de vous aider à atteindre votre but. Lorsque vous pratiquez la magie, prenez une attitude de détente et canalisez le pouvoir de votre concentration sur votre but et sa réalisation.

QUELQUES RÈGLES

Voici quelques règles à suivre:

- Évitez à tout prix de penser à l'échec ou au désespoir.
- Lorsque vous conduisez un rituel ou préparez un sortilège, croyez à ce que vous faites au moment où vous le faites.
- Assurez-vous d'avoir tous les ingrédients avant de commencer; si vous ne pouvez en trouver certains, consultez un tableau de substitution avant de faire les changements.
- Lorsque vous pratiquez un sortilège ou un rituel, suivez soigneusement les instructions; même si elles vous semblent bizarres, il existe des raisons pour chacun des ingrédients à utiliser ou des gestes à faire.
- Débranchez le téléphone et assurez-vous de ne pas être dérangé pendant le temps où vous pratiquerez la magie. Les interruptions sont à déconseiller. Si toutefois vous êtes dérangé, recommencez du début et, surtout, ne continuez pas là où l'interruption s'est produite.
- Si vous désirez conduire vos rituels en compagnie d'autres personnes, assurez-vous que celles-ci possèdent les mêmes intérêts que vous. Une personne négative peut tout chambouler; lorsque vous faites un rituel avec d'autres participants, toutes les énergies se mêlent et l'énergie négative dégagée par un seul participant suffit à fausser le résultat.
- Gardez en tête le credo des sorcières: *Et en ne faisant de mal à personne, fais ce qui te plaît*. Toute déviation de cette loi peut entraîner des conséquences déplaisantes pour tous les participants.
- N'oubliez jamais la règle du triple retour: le bien est retourné trois fois, mais le mal l'est aussi.

- L'Univers est un vaste réservoir d'énergie; ne convoitez pas ce qui appartient à quelqu'un d'autre, créez votre propre richesse, votre propre amour.
- Lorsque vous faites un rituel ou un talisman pour obtenir quelque chose, ne pensez qu'à cette chose en particulier; si vos pensées vagabondent d'un sujet à l'autre, vous n'obtiendrez rien car l'énergie sera disséminée aux quatre vents.
- Apprenez à faire vos rituels et vos pratiques de magie dans la joie et le plaisir. Il faut vous rappeler que si vous traînez du négatif avec vous, il vous sera difficile de ne pas le transférer dans vos sortilèges. C'est une question d'énergie et, dans ce domaine, il faut se souvenir que rien ne se perd. Vous pouvez transformer la qualité de votre énergie, mais il faut le faire consciemment.

Si vous vous apercevez que vos rituels ne fonctionnent jamais ou que les résultats sont étranges, il serait tout indiqué de vérifier vos motivations et les émotions qui étaient avec vous au moment où vous avez fait vos rituels ou préparé vos philtres et sortilèges.

DERNIÈRES RECOMMANDATIONS

Vous voilà fin prêt et décidé à agir pour apporter du nouveau dans votre vie? Vous désirez de l'amour et avez fait le choix que votre quête du bonheur passera par l'usage de la magie? Excellent. Toutefois, il y a certains détails que vous devez apprendre et maîtriser de façon que le succès soit au rendez-vous. Suivez donc scrupuleusement les conseils suivants, et la réussite ne dépendra que de vous.

QUAND PROCÉDER

La plupart des rituels peuvent être pratiqués en tout temps. Néanmoins, si vous en exécutez certains à un moment précis, vous en augmenterez leur puissance et, bien sûr, leur efficacité. Pour la plupart des rituels de cet ouvrage, nous précisons le moment auquel vous pouvez les pratiquer mais, pour certains autres, vous devrez vous-même trouver le moment exact. Dans ces cas, il y a trois choses simples que vous devez retenir: le jour, l'heure et la phase lunaire.

Les opérations de l'amour et des sentiments seront, pour la majeure partie du temps (à moins d'avis contraire), exécutées au jour dédié à l'amour, soit le vendredi – le vendredi étant la journée sous les auspices de la planète Vénus et régie par cette même planète. Pour rendre vos charmes et rituels encore plus efficaces, vous devriez aussi le faire pendant l'heure de Vénus.

En ce qui concerne les opérations touchant notamment la sexualité, vous devrez attendre le moment où Jupiter sera en force, soit le jeudi à l'heure de Jupiter. N'oubliez pas, toutefois, qu'il sera important de respecter la phase lunaire. Comme ces opérations sont en tant que telles positives, vous attendrez que la lune soit en phase croissante. Puisque de nombreux sorciers et de nombreuses sorcières modernes utilisent aujourd'hui l'informatique pour tenir un journal de leurs rituels (grimoire virtuel) ou pour tout autre usage, voici un lien Internet qui vous permettra de télécharger gratuitement un excellent programme fort utile pour calculer les phases lunaires, et bien plus encore: http://www.clysmic.com/lunabar/

LE MOMENT OPPORTUN

Voici comment trouver l'heure de Vénus, de Jupiter ou de toute autre planète. Vous devez d'abord savoir que chaque jour et chaque heure de la journée est sous l'influence d'une planète: le Soleil, la Lune, Mars, Mercure, Jupiter, Vénus et Saturne. Chaque jour de la semaine est donc régi par l'une de celles-ci, en commençant par dimanche (Soleil) jusqu'à samedi (Saturne). De plus, les planètes régissent quelques heures de la journée et de la nuit.

Ainsi, il faut savoir que le jour et la nuit comportent chacun douze heures planétaires. Ce qui est donc important à déterminer, c'est quel sera le nombre d'heures d'ensoleillement pour une journée; en trouvant ce nombre, on obtiendra également celui des heures de la nuit. Vous pourrez donc déduire que l'hiver, les heures de jour seront plus courtes que les heures de nuit. Pour trouver le nombre d'heures d'ensoleillement, vous pouvez tout simplement consulter un journal: ce nombre est toujours indiqué dans la section météo, sous la rubrique «Heures d'ensoleillement».

Pour bien comprendre le processus, prenons l'exemple suivant. Le soleil se lève à 6 h et se couche à 19 h. Donc, entre cette période, il y a un total de 13 heures d'ensoleillement. Divisez par 12 (heures du jour) les 13 heures d'ensoleillement, et vous obtenez le nombre de minutes que contient chacune de ces heures. Dans notre exemple, il s'agit donc de diviser 780 minutes (13 heures) par 12, ce qui nous donne 65. La durée d'une heure planétaire de ce jour sera donc de 1 h et 5 min.

La première heure commence au lever du soleil et durera donc, dans cet exemple, de 6 h à 7 h 5; la deuxième heure, elle, s'étalera de 7 h 5 à 8 h 10, et ainsi de suite en ajoutant chaque fois 65 minutes. À présent que vous savez combien il y a d'heures d'ensoleillement, vous n'avez qu'à les soustraire des 24 heures d'une journée complète pour obtenir le nombre d'heures que durera la nuit. Reprenons notre exemple: 1440 minutes (la durée de la journée totale) – 780 minutes (pour les heures d'ensoleillement), ce qui nous donne un résultat de 660 minutes. En divisant ces 660 minutes par les 12 heures de la nuit, vous obtenez la durée de chacune de ces heures, soit 55 minutes.

Maintenant que vous possédez la notion de durée pour cette journée, il ne vous reste plus qu'à savoir quel est l'ordre des planètes qui gouverneront ces heures planétaires. Sachez que les première, huitième, quinzième et vingt-deuxième heures seront toujours gouvernées par la planète qui régit la journée. Quand vous aurez à pratiquer un rituel à un moment propice, vous n'aurez qu'à faire le calcul précédent, à choisir la journée voulue pour l'opération, à consulter le tableau suivant et à déterminer l'heure planétaire qui est sous les auspices de la planète désirée. Si vous œuvrez au bon moment, votre magie en sera dès lors décuplée.

LE CALENDRIER DES HEURES PLANÉTAIRES

Heures	Dimanche	Lundi	Mardi	Mercredi	Jeudi	Vendredi	Samedi
1	Soleil	Lune	Mars	Mercure	Jupiter	Vénus	Saturne
2	Vénus	Saturne	Soleil	Lune	Mars	Mercure	Jupiter
3	Mercure	Jupiter	Vénus	Saturne	Soleil	Lune	Mars
4	Lune	Mars	Mercure	Jupiter	Vénus	Saturne	Soleil
5	Saturne	Soleil	Lune	Mars	Mercure	Jupiter	Vénus
6	Jupiter	Vénus	Saturne	Soleil	Lune	Mars	Mercure
7	Mars	Mercure	Jupiter	Vénus	Saturne	Soleil	Lune
8	Soleil	Lune	Mars	Mercure	Jupiter	Vénus	Saturne
9	Vénus	Saturne	Soleil	Lune	Mars	Mercure	Jupiter
10	Mercure	Jupiter	Vénus	Saturne	Soleil	Lune	Mars
11	Lune	Mars	Mercure	Jupiter	Vénus	Saturne	Soleil
12	Saturne	Soleil	Lune	Mars	Mercure	Jupiter	Vénus
13	Jupiter	Vénus	Saturne	Soleil	Lune	Mars	Mercure
14	Mars	Mercure	Jupiter	Vénus	Saturne	Soleil	Lune
15	Soleil	Lune	Mars	Mercure	Jupiter	Vénus	Saturne
16	Vénus	Saturne	Soleil	Lune	Mars	Mercure	Jupiter
17	Mercure	Jupiter	Vénus	Saturne	Soleil	Lune	Mars
18	Lune	Mars	Mercure	Jupiter	Vénus	Saturne	Soleil
19	Saturne	Soleil	Lune	Mars	Mercure	Jupiter	Vénus
20	Jupiter	Vénus	Saturne	Soleil	Lune	Mars	Mercure
21	Mars	Mercure	Jupiter	Vénus	Saturne	Soleil	Lune
22	Soleil	Lune	Mars	Mercure	Jupiter	Vénus	Saturne
23	Vénus	Saturne	Soleil	Lune	Mars	Mercure	Jupiter
24	Mercure	Jupiter	Vénus	Saturne	Soleil	Lune	Mars

LA BONNE ATTITUDE

Dans la pratique de l'art magique, vouloir ou faire n'est pas assez. Quoique cela soit déjà un bon pas de fait, il faut tout de même y croire! Sachez que croire en vos capacités, mais aussi croire aux forces secrètes de la nature et de l'Univers est plus qu'important non seulement en magie d'amour, mais aussi bien dans la vie de tous les jours – pensez-vous que vous avez des chances d'obtenir un emploi si vous-même n'y croyez pas?

Pendant le processus de préparation de votre rituel, de l'achat de certains articles jusqu'à l'exécution du rituel lui-même, vous devez adopter une attitude *positive* et *confiante*. Peut-être avez-vous déjà pratiqué un rituel qui ne vous a semblé ne pas avoir fonctionné. Faites alors une introspective; examinez-vous mentalement. Avez-vous déjà pensé à quelque chose comme: *Ah! Au pire, si cela ne fonctionne pas, j'ai d'autres rituels pour arriver à mes fins*. Ou encore, en plein rituel: *J'espère que ce rituel fonctionnera*. S'il vous est arrivé d'entretenir de telles pensées, arrêtez immédiatement: vous ne pourrez jamais obtenir les résultats escomptés. Comme toutes les pensées sont réelles sur le plan mental, vous contribueriez ainsi vous-même à votre propre échec.

Il est vrai toutefois que cela peut parfois se produire, sans même que nous le voulions. Nous sommes tous humains et, quand une chose nous tient à cœur, nous pouvons tous un jour ou l'autre éprouver une certaine crainte de voir cette chose disparaître, nous amenant à créer inconsciemment un certain état négativiste. Vous pourrez néanmoins réussir en conservant une attitude positive en tout temps; dites-vous – et croyez-y parce que c'est vrai! – que vous êtes fort et gagnant et que votre magie atteint toujours son but! Domptez votre mental; voyez-le comme un muscle que vous vous apprêtez à entraîner. Avec le temps, il deviendra fort et puissant, vous serez donc plus en contrôle de vos pensées créatrices.

Voici un petit exercice que vous pourrez pratiquer à tout moment de la journée, que ce soit en allant au travail ou aux études, en attendant l'autobus ou en faisant vos emplettes. Si, à un moment donné, vous remarquez avoir mentalisé une pensée négative, annulez-la sur-le-champ en mentalisant deux pensées contraires positives – cela vous semblera quelque peu anodin, mais n'en doutez pas, aussi simple qu'elle soit, c'est une technique très efficace!

AGIR

N'attendez pas que les résultats vous tombent du ciel. Cela n'arrivera pas. Vous connaissez la phrase: *Aide-toi et le ciel t'aidera*. En magie, cela se passe de cette façon: après avoir accompli un rituel d'amour, continuez le travail. Ne pratiquez pas un rituel d'amour pour ensuite aller vous cloître dans votre demeure en attendant un coup de fil. Il est vrai que votre magie mettra en œuvre des éléments subtils et provoquera des situations propices aux rencontres amoureuses, mais restez dans l'action. C'est un peu comme faire le ménage d'une maison. Si, après avoir tout nettoyé, vous ne faites guère attention à la propreté, tout sera rapidement à refaire! Donc, après avoir lancé un sort, vous pourriez par exemple sortir, aller à la rencontre des gens et, surtout, mettez-vous en évidence! Là, quelqu'un réagira très certainement.

Par ailleurs, il convient de ne pas divulguer vos actions magiques. Gardez cela pour vous – et pour vous seul. La société a beau être de plus en plus ouverte, il y aura toujours des gens qui se moqueront de ceux qui choisissent une évolution spirituelle différente – c'est un signe d'ignorance et cela ne vaut guère la peine d'y prêter attention. De plus, imaginez que vous dites à une personne, même proche de vous, que vous avez fait un rituel; si cette personne ne croit pas en la magie et se met à dire que cela ne fonctionnera pas, elle se mettra à créer du négatif et vous communiquera cette négativité qui pourrait aller à l'encontre de vos buts. Ne vous créez pas du tort inutilement. Soyez comme le sage, et aucune barrière ne se trouvera sur votre chemin. Suivez la maxime: *Savoir, oser, faire, se taire.*

RITUELS ET SORTILÈGES D'AMOUR

POUR GAGNER SON CŒUR

Ingrédients et accessoires

- une pomme rouge
- une rose blanche
- un quartz rose
- une photographie de vous
- une pochette rouge
- des bougies rouges ou blanches

Rituel

Un vendredi soir, pendant une lune croissante, installez-vous dehors (ou près d'une fenêtre, de façon que vous puissiez voir le ciel étoilé ainsi que la lune). Mangez la pomme tout en songeant à votre parfait amour, celui que vous aimeriez connaître. Mangez lentement la pomme et faites-vous une représentation la plus claire possible de la personne de vos rêves quant à la couleur de ses cheveux, de ses yeux, de ses traits de caractère, etc. Lorsque vous avez fini de la manger, récupérez sept pépins de la pomme et mettez-les de côté. Prenez la photographie et découpez seulement votre tête dans une forme de cœur. Prenez la rose, humez son odeur et enlevez les pétales un à la fois en prononçant une description de votre futur amour. Finalement, prenez les pépins, le quartz et la photographie, et placez-les dans la pochette, en la refermant solidement. Tenez le charme contre votre cœur et dites:

Je verrai bientôt le visage de mon vrai amour,
Même si je ne connais point encore son nom.
Mais bientôt son cœur va battre pour moi,
Viens vers moi mon amour, qu'il en soit ainsi!

Portez la pochette sur vous chaque vendredi et soyez patient.

CHARME DE CHEVEUX

Ingrédients et accessoires

- deux mèches de cheveux

Rituel

Prenez une mèche de vos cheveux et une de la personne que vous voulez unir à vous, en prenant bien soin de les couper pendant une lune croissante; attachez-les ensemble avec un ruban ou une ficelle rouge. Pendant que vous les attachez, imaginez que vous êtes heureux et que vous vivez un amour mutuel. En même temps, prononcez l'incantation suivante:

Quand le Soleil se lèvera, par cette mèche mon amour sera près de moi.
Quand le Soleil se couchera, par cette mèche mon amour se concrétisera!

Portez ensuite le charme sur vous, au niveau du cœur.

SIMPLE BOUTEILLE D'AMOUR

Ingrédients et accessoires

- une petite bouteille munie d'un bouchon
- des pétales de rose séchés
- 1 pincée de romarin
- de l'huile d'olive
- une bougie rose

Rituel

Allumez une bougie rose, broyez les pétales dans votre main et placez-les dans la bouteille. Mettez-y le romarin, puis ajoutez l'huile, emplissant presque la bouteille. Mettez le bouchon en place et scellez le tout avec la cire de la bougie. Ensuite, prenez la bouteille dans vos deux mains et chargez-la de votre intense désir amoureux. Une fois cela fait, rangez votre bouteille dans un endroit connu de vous seul.

POUR SÉDUIRE

Ingrédients et accessoires

- une pomme
- un morceau de tissu rouge

Rituel

Cueillez votre pomme (ou achetez-la) pendant la période décroissante de la lune. Quand vous entamerez votre rituel, soufflez dessus et faites-la briller en la frottant avec un morceau de tissu rouge, tout en disant:

Feu doux, feu rouge, réchauffe le cœur à cette heure.

Coupez la pomme en deux, mangez-en une partie; embrassez la seconde moitié et mettez-la de côté. La personne à qui vous l'offrirez et qui la mangera tombera sous votre charme.

POUR GAGNER SON AMOUR

Ingrédients et accessoires

- votre chaudron magique
- deux bougies roses
- une bougie mauve
- votre baguette magique ou athamé (ou un couteau)

Rituel

Œuvrez un vendredi soir en phase lunaire croissante. Placez le chaudron sur votre autel entre deux bougies roses. Allumez-les en prononçant votre vœu d'amour. À l'intérieur du chaudron, placez une bougie mauve, puis tapez doucement sur le rebord du chaudron trois fois avec votre baguette magique, votre athamé ou votre couteau, et prononcez l'incantation suivante:

Un pour le rechercher,
Un pour le trouver,
Un pour me l'apporter,
Un pour le lier, cœur à cœur,
Un pour toujours.
Ainsi je le dis, ce charme est lancé.

Tapez légèrement le chaudron trois fois, puis allumez la bougie dans le chaudron pour lancer le charme.

POUDRE DE BONHEUR

Ingrédients et accessoires

- deux parties de lavande
- une partie d'herbe à chat
- une partie de marjolaine

Rituel

Pour fabriquer la poudre, utilisez un mortier et un pilon, et écrasez les herbes aussi finement que possible. Pendant ce processus, visualisez votre but magique s'amplifier et intégrer la mixture. Dites alors :

Herbes de bonheur, plante aux vertus heureuses,
Œuvrez sur moi quand aura sonné l'heure
Et chassez ces vibrations douteuses.

Quand vous souhaiterez utiliser cette poudre, saupoudrez la mixture en cercle sur le sol et asseyez-vous au centre, absorbant les énergies de la poudre. Visualisez les vibrations de bonheur vous entourant et infusant votre esprit de joie.

POUR PLAIRE

Ingrédients et accessoires

- une pomme rouge
- sept petits pois
- sept cerises
- un avocat

Rituel

Prenez une pomme rouge et coupez-la en deux, horizontalement – vous devriez voir une certaine forme, dessinée par le cœur, à l'intérieur. Visualisez-vous rougeoyant comme une étoile parfaite. Mangez la moitié de la pomme et donnez l'autre moitié comme offrande, en la plaçant simplement sous un arbre. Épluchez maintenant la peau de l'avocat. Libérez toutes les pensées négatives que vous avez envers vous-même, les voyant partir à mesure que vous retirez la peau de l'avocat.

Coupez le fruit en sept (le nombre de Vénus) tranches et retirez le cœur ; écrasez ensuite les morceaux pour en faire une pâte et utilisez cette dernière comme vous le feriez pour un masque de beauté, mais il s'agira ici d'un masque protecteur. À mesure que vous vous couvrez le visage, imaginez que tous vos défauts disparaissent. Prenez maintenant les sept pois dans la main droite et les sept cerises dans la main gauche; mangez-les alternativement – la main gauche régit le subconscient et l'invisible, alors que la main droite régit le monde conscient et visible; ce que vous faites contribuera à créer simultanément la beauté dans les deux sens. Vous aurez besoin de pratiquer ce rituel de un à trois jours avant que vous rencontriez la personne dont vous voulez vous faire remarquer et à laquelle vous voulez plaire.

FEU DE L'AMOUR

Ingrédients et accessoires

- trois bougies flottantes rouges
- trois bougies rouges

Rituel

Ce charme, qui doit être fait pendant trois nuits consécutives, sera pratiqué deux jours avant la pleine lune (la dernière nuit sera celle de la pleine lune), et si possible à l'heure planétaire de Vénus. Commencez par vous faire couler un bain chaud, allumez les bougies non flottantes et placez-les autour du bain; allumez l'encens et glissez-vous dans le bain. Allumez alors les trois bougies flottantes et laissez-les flotter autour de votre corps. Visualisez un cercle de lumière entourant le bain – ceci vous aidera à conserver l'énergie. Comme flottent les bougies autour de vous, fixez les flammes se mélangeant ensemble en une aura rougeâtre. Ressentez l'énergie des flammes pénétrer votre corps. Visualisez le partenaire parfait près de vous; imaginez-vous vivre le bonheur. Comme la puissance du feu passe dans votre corps, murmurez alors:

Flammes d'amour brillantes dans le noir,
Accorde-moi ce charme dès ce soir.

Détendez-vous dans le bain et visualisez votre désir se concrétiser. Quand vous serez prêt, sortez et laissez-vous sécher naturellement. Répétez ce charme les deux nuits suivantes, en utilisant les mêmes bougies. À la troisième nuit, après le rituel, enfouissez les bougies dans votre jardin et dites:

Dans cette terre je sème cet amour,
Permettez-lui de pousser pour toujours.

CHARME TORRIDE

Ingrédients et accessoires

- ¼ tasse (60 ml) d'extrait de vanille
- des boutons de rose ou 1 tasse (250 ml) d'eau de rose
- 3 c. à soupe (45 ml) de jus de pamplemousse rose

Rituel

Essayez ce charme avant votre prochaine sortie.

Faites couler un bain chaud et ajoutez-y les boutons de rose ou l'eau de rose, l'extrait de vanille et le jus de pamplemousse rose. Cette mixture aidera les gens timides à se débarrasser de leurs inhibitions et à augmenter le plaisir, la séduction, la sexualité et l'excitation. Demeurez dans le bain pendant au moins sept minutes. Après avoir physiquement nettoyé votre corps, tenez-vous sous la douche, versez une cuvette pleine de ce mélange audessus de votre tête et laissez-le s'écouler le long de votre corps. Par la suite, séchez-vous, habillez-vous et préparez-vous à passer une magnifique soirée!

SORTILÈGE D'ATTRACTION

Ingrédients et accessoires

- du sel de mer
- une bougie rouge
- une bougie rose
- une bougie blanche

Rituel

Nettoyez votre salle de bain. Recouvrez tous les miroirs. Faites couler un bain chaud et ajoutez-y une poignée de sel de mer tout en récitant l'incantation suivante:

La négativité est maintenant dissoute,
Comme je renais à jour.
Vers moi les têtes se retournent toutes,
Celui que je choisirai sera mon amour.

Allumez les bougies et pensez à ce que vous aimez de vous. Concentrez-vous sur votre beauté; puis, concentrez-vous sur une personne que vous désirez. Faites ensuite jouer votre musique préférée de façon à vous rendre plus sensuel. Immergez-vous dans l'eau du bain. Assurez-vous que chaque partie de votre corps soit en contact avec l'eau. Après environ 45 à 60 minutes, répétez la phrase du début, puis ajoutez:

Flammes, lueurs, plaisez aux yeux
Par le feu, l'eau, la terre et les cieux.
Formez et faites-les voir cela,
Accordez-moi la beauté, trois fois trois.

Vous pouvez utiliser ce que vous désirez pour augmenter la puissance de ce charme, par exemple une boisson, des huiles, un parfum ou un encens spécial.

AMOUR ÉTOILÉ

Ingrédients et accessoires

- une feuille de papier
- un crayon
- des pétales roses
- une bougie rose ou rouge
- un quartz, un rubis ou une pierre de grenat (facultatif)

Rituel

Ce charme puissant donne d'excellents résultats quand il est effectué le premier vendredi qui suit la nouvelle lune.

Allumez la bougie et l'encens, et détendez-vous complètement. Pensez à toutes les qualités que vous désirez chez un amoureux, par exemple la fidélité, la douceur, l'honnêteté, etc. Écrivez-les, en étant spécifique, et assurez-vous que chaque qualité désirée est précisée clairement. Quand vous aurez terminé la liste, rendez-vous à l'extérieur en laissant la bougie et l'encens brûler dans des récipients sûrs. Cherchez dans le ciel une étoile qui vous attire. Tenez les pétales et la pierre dans vos mains, visualisez les rayons descendant vers vous pour remplir vos mains, irradiant les pétales de puissance. Dites alors:

Étoile d'amour brûlante et lumineuse,
Aide-moi dans mon charme ce soir.
Unis mon vrai amour à moi,
Car c'est ma volonté, tel soit!

Retournez à l'intérieur, parsemez les pétales roses autour de la base de la bougie et placez la pierre devant elle. Visualisez-vous comme une flamme lumineuse qui attire la personne qui est la meilleure pour vous. Appelez-la alors doucement:

Entends-moi pendant que je t'appelle,
Viens à moi, mon amour si vrai!

Sachez que le cosmique vous réunira à votre amour quand le moment sera venu; répétez ce charme chaque mois jusqu'à ce que l'amour vous trouve.

POTION DE LA SORCIÈRE

Ingrédients et accessoires

- basilic, graines de cardamome, cannelle, cumin, graines d'aneth, fenouil, marjolaine, persil

Rituel

Versez une part égale de ces herbes (sèches ou fraîches) dans un verre de vin chauffé ou dans une tasse de thé chaud. Remuez-les dans le sens des aiguilles d'une montre en pensant aux qualités spéciales que vous voulez voir en votre véritable amour. Visualisez-le profondément et dites:

Herbes magiques, Lune et Soleil,
Apportez-moi cet amour sans pareil.
Par sa volonté sans nuire à aucun,
Cela est mon souhait.
Il est maintenant fait.
Ainsi soit-il!

Aux premiers coups de minuit, buvez la moitié de la boisson magique et versez l'autre moitié sur de la terre, comme offrande. Rendez grâce aux puissances qui existent, croyez de tout votre cœur que votre charme fonctionnera et soyez attentif aux signes positifs de résultats, qui ne seront pas nécessairement immédiats. Soyez patient. Vous pourrez avoir à répéter ce charme un certain nombre de fois avant d'obtenir ce que vous souhaitez, particulièrement si vous êtes débutant. Ce charme fera bouger les choses pour vous et vous aidera à créer des occasions.

POUR RENDRE QUELQU'UN AMOUREUX DE VOUS

Ingrédients et accessoires

- 12 roses rouges
- une bougie rose, verte ou rouge

- une photographie de la personne convoitée ou un morceau de papier avec son prénom
- un plateau
- une aiguille

Rituel

Pratiquez ce rituel un vendredi soir pendant la lune croissante. Au centre de votre cercle magique, sur votre autel (ou sur la table où vous pratiquez vos rituels), placez la photographie au milieu du plateau et disposez les roses autour. Gravez alors les nom et prénom de la personne désirée sur la bougie. Prenez ensuite la bougie dans vos mains et prononcez les mots suivants:

Bougie, je te nomme (dites le nom).

Ayez une foi à toute épreuve au moment de cet acte, car c'est votre foi qui fera la puissance du sort. Placez la bougie sur la photographie de manière à ne pas la cacher, mais en conservant un contact entre les deux (la bougie doit éclairer la photographie). Répétez l'incantation suivante tant que brûlera la bougie; concentrez-vous et faites preuve d'une grande puissance visualisatrice.

(Dites le nom), *j'attendris ton cœur comme fond cette bougie,*
Car au moment même où cette cire coule,
Alors ton amour s'embrase pour moi.

(Dites le nom), *j'attendris ton cœur comme fond cette bougie,*
Et par cet écoulement,
Ton amour pour moi apparaît.

Laissez la bougie se consumer entièrement. Réunissez les roses, attachez-les ensemble et suspendez-les la tête en bas pour les faire sécher. Ramassez la photographie ainsi que la cire refroidie, et conservez le tout secrètement jusqu'à ce que le sort ait fonctionné. Si vous ne constatez pas de changements d'ici la prochaine pleine lune, refaites le rituel à nouveau.

POUR SUSCITER LA PASSION

Ingrédients et accessoires

- une mèche de cheveux de la personne aimée
- une mèche de vos cheveux
- deux cœurs en tissu
- de la verveine séchée
- une aiguille

Rituel

Prenez les cheveux de la personne que vous aimez et les vôtres; confectionnez deux petits cœurs en tissu et bourrez-les de verveine séchée. Dans l'un, ajoutez sa mèche de cheveux, dans l'autre la vôtre. Cousez ensuite les cœurs pour les refermer. Pressez-les l'un contre l'autre et transpercez-les avec une aiguille. Enterrez-les au pied d'un arbre, une nuit de pleine lune.

PHILTRE DU SANG D'AMOUR

Ingrédients et accessoires

- une coupe d'eau fraîche
- quelques gouttes de votre sang
- un petit flacon

Rituel

Un vendredi soir, à l'heure de Vénus, quand la lune sera croissante ou pleine, réunissez sur votre autel tout le matériel nécessaire. Tracez ensuite un cercle magique de façon à condenser les énergies au même endroit. Posez les mains au-dessus de la coupe et visualisez une lumière intense émaner de vos mains sur le liquide, en disant par trois fois:

Déesse de l'amour, Vénus, exauce mon vœu.
Que (dites le nom) *me remarque*
Et que son cœur s'enflamme pour moi.

Versez de trois à cinq gouttes de votre sang dans la coupe, puis apposez vos mains à nouveau et répétez cinq fois:

Déesse de l'amour, Vénus, exauce mon vœu.
Que (dites le nom) *brûle d'amour pour moi*
Par la force de mon sang qui lui coule dans les veines.
Qu'il en soit fait selon ma volonté.

Visualisez la lumière s'intensifier à mesure que la déesse charge votre philtre. Poursuivez votre visualisation, voyez-vous dans les bras de l'être aimé. Ensuite, soufflez par trois fois sur le liquide et dites:

Qu'il en soit ainsi!

Versez le contenu de la coupe dans un flacon. Au moment propice, en appelant mentalement la déesse, versez votre philtre dans une boisson que vous servirez à la personne convoitée.

POT-POURRI D'AMOUR

Ingrédients et accessoires

- 1 ½ tasse (375 ml) de pétales ou de boutons de rose
- 1 tasse (250 ml) de fleurs de lavande
- ¼ tasse (60 ml) de fleurs et de feuilles de camomille
- 2 c. à soupe (30 ml) de rotin odorant moulu
- 2 c. à soupe (30 ml) de graines de cardamome moulues

Rituel

Mélangez tous les ingrédients en commençant par les pétales de rose et les fleurs de lavande, puis ajoutez les autres ingrédients un à un, tout en prononçant la formule suivante:

Déesse de l'amour,
Entends ma prière.
Que l'amour vienne à moi,
Que l'être que je désire soit charmé,
Qu'il en soit ainsi.
Qu'il en soit ainsi.

Placez ensuite les ingrédients dans un petit sac de tissu vert et portez-le sur vous. L'efficacité est assurée pendant une lunaison.

ROSES DE LA PASSION

Ingrédients et accessoires

- trois bougies: une rose, une verte et une rouge
- une rose blanche
- de l'huile d'amande
- un morceau de papier

Rituel

En lune croissante, par une nuit de Vénus, allumez les trois bougies; aspergez une rose blanche séchée avec de l'huile d'amande et brûlez-la dans un cercle magique pendant que vous récitez le sort. Si vous avez du mal à les enflammer, ajoutez aux roses des morceaux de papier avec vos deux noms inscrits dessus. Récitez l'incantation suivante et visualisez-vous avec votre partenaire pendant que brûle la bougie de votre amour auprès de vous.

Par toutes les vies de la terre et des océans,
Par ce qui vient et ce qui s'en va,
Par les nombres impairs et les pairs,
Par le pouvoir de trois fois trois,
Tes pensées seront pour moi,
De maintenant jusqu'à l'éternité.
Ni paix ni bonheur tu ne trouveras,
tant que ta main, la mienne ne rejoindra.
J'attache ton cœur, ton âme et ton esprit,
J'attache tes yeux et tes pensées.
Je t'attache à moi pour toujours,
Avec le fil du désir feutré.
Par les roses et le romarin,
Par les cavernes et les bosquets,
Par le silence des montagnes,
Par les abîmes et les pierres millénaires,
Je t'attache à moi pour toujours,
Avec le fil du doux péril.
Isis, Astarté, Ishtar, Aphrodite, Vénus,
Je t'attache à moi pour toujours.
Isis, Astarté, Ishtar, Aphrodite, Vénus.
Qu'il en soit ainsi.

POUR MAINTENIR UN AMOUR INCONDITIONNEL

Ingrédients et accessoires

- trois bougies : une blanche, une noire, une rose

Rituel

Chaque pleine lune, allumez une bougie blanche pour la grâce, une rose pour le bonheur et une noire pour remercier le destin. Tout juste avant de les allumer, admirez la lune silencieusement, avec respect pour la déesse. Ensuite, allumez de l'encens et les bougies en son honneur et dites :

Les bons auspices ont béni ma demeure,
Les bons auspices ont béni mon cœur,
Les bons auspices ont béni ceux que j'aime.
Humblement je vous rends grâce,
Je remercie la déesse pour ma vie,
Je remercie la déesse pour mon amour,
Je remercie la déesse pour ses grâces continuelles.
Sois bénie !

Répétez cette petite dédication chaque mois pour que persiste votre bonne fortune.

SORT DE LA BOUGIE ET DU QUARTZ

Ingrédients et accessoires

- une bougie
- un quartz affilé

Rituel

En ce qui concerne la couleur de la bougie à utiliser, fiez-vous à votre intuition. Avec la pointe d'un quartz propre et pointu, gravez un cœur sur la bougie. À mesure que vous gravez le symbole, voyez avec une clarté de cristal votre souhait déjà en voie de réalisation. Ensuite, placez votre bougie dans un bougeoir et placez le quartz à côté. Allumez la mèche. Lorsque la flamme brille, continuez votre visualisation. Soyez convaincu que votre besoin sera comblé bientôt par ce sort de la bougie et du quartz.

THÉ DE L'AMOUR

Ingrédients et accessoires

- 2 c. à thé (10 ml) de thé noir
- 3 pincées de thym
- 3 pincées de muscade
- trois feuilles fraîches de menthe
- 1 pincée de romarin
- six pétales de rose fraîche
- six feuilles de citron
- 3 tasses (750 ml) d'eau de source
- du sucre et du miel (facultatif)

Rituel

Pour faire en sorte qu'une personne puisse tomber amoureuse de vous, préparez ce thé un vendredi de lune croissante. Placez les ingrédients dans un récipient et versez-y l'eau de source bouillante. Adoucissez la potion à votre goût en y ajoutant un peu de sucre et de miel. Avant de consommer votre thé d'amour, récitez les paroles suivantes:

Par l'éclat de la lumière lunaire si pleine,
Je prépare ce thé afin que (dites le nom de la personne)
Me désire sans peine.

Buvez doucement quelques gorgées de votre thé et dites ensuite:

Déesse de l'amour écoute ma requête.
Que (dites le nom de la personne) *me désire à en perdre la tête!*

Le vendredi suivant, préparez le thé de la même façon et donnez-le à la personne dont vous désirez obtenir l'amour. Vous devriez voir les manifestations de cet amour convoité sous peu.

BOUGIE ET SACHET D'AMOUR

Ingrédients et accessoires

- une petite bougie blanche (qui pourra brûler une vingtaine de minutes)
- une aiguille
- un sachet d'amour
- du basilic, de la verveine et des pétales de rose
- un objet ayant appartenu à la personne aimée ou une mèche de cheveux

Rituel

Confectionnez un sachet avec un morceau de tissu rouge. À l'intérieur, placez-y du basilic, de la verveine et des pétales de rose. Ajoutez-y, si possible, un objet ayant appartenu à la personne dont vous rêvez ou une mèche de cheveux. Prenez ensuite l'aiguille et gravez sur la bougie:

Toi, mon amour, viens vers moi,
Ceci est ma volonté, telle soit!

Allumez ensuite la bougie et déposez-la sur votre autel. Fixez-en la flamme et visualisez-vous en compagnie de la personne que vous aimez, en train de faire des choses heureuses et joyeuses. Quand la bougie sera éteinte, récupérez les restes de cire, placez-les à l'intérieur du sachet et refermez-le. Rangez soigneusement votre sachet dans un endroit sûr et portez-le sur vous quand vous aurez à rencontrer cette personne. Pour rompre ce sort, vous n'avez qu'à brûler le sachet d'une manière cérémonielle et d'en jeter les cendres dans un cours d'eau (ou dans la cuvette de la toilette).

INCANTATION D'AMOUR À LA BOUGIE

Ingrédients et accessoires

- une feuille de papier d'aluminium de 2 pi x 2 pi (60 cm^2)

- une bougie rouge
- de l'huile essentielle de rose
- un bout de papier

Rituel

Un vendredi soir, préparez votre feuille de papier d'aluminium et pliez-la en deux parties égales, puis placez-y une bougie rouge. Écrivez ensuite le nom de la personne convoitée sur un bout de papier, versez-y quelques gouttes d'huile essentielle de rose et placez-le sous la bougie. Allumez ensuite la bougie et récitez l'incantation suivante à trois reprises:

Bougie magique, bougie magique,
Brillante de lumière magnifique,
Influence les esprits
Pour qu'ils comblent mon envie.
Ainsi soit-il.

Faites brûler 1 po (2,5 cm) de la bougie chaque jour. Lorsqu'elle est consumée entièrement, enveloppez étroitement les parcelles restantes dans le papier d'aluminium et placez la petite boule sous le lit. Après sept jours et sept nuits, jetez le petit paquet dans un cours d'eau (ou dans la cuvette de la toilette) en disant:

Bougie magique, bougie magique,
Entoure-le de tes liens,
Bougie magique, bougie magique,
Laisse (dites le nom de la personne désirée) *être mien.*
Alors il sera!

PHILTRE D'AMOUR MODERNE

Ingrédients et accessoires

- des pétales de rose rouge
- quelques feuilles de patchouli (ou quelques gouttes d'huile de patchouli)
- quelques feuilles de basilic
- un verre de vin rouge (ou de jus de raisin)
- une bougie rouge

Rituel

Concentrez-vous sur la personne qui fait l'objet du rituel en prononçant son nom et imaginez-vous auprès d'elle. En ressentant le sentiment amoureux vous envahir, réduisez les herbes en poudre et mélangez-les à la lumière d'une bougie rouge. Versez-les ensuite dans le vin ou le jus. Puis, offrez le philtre à la personne désirée.

POUR ATTIRER L'AMOUR

Ingrédients et accessoires

- une pomme rouge
- une aiguille
- une abaisse de tarte

Rituel

Une nuit de pleine lune, prenez une pomme et faites-y quelques trous avec une aiguille en mentionnant le nom de la personne aimée. Une nuit de nouvelle lune, dormez avec cette pomme sous votre oreiller en la plaçant dans un sac de plastique. Le lendemain matin, lavez-la et évidez-la, avant de la couper en petits morceaux et de l'incorporer dans la préparation d'une tarte maison (de biscuits ou d'un gâteau). Offrez une portion de la tarte à la personne convoitée pour que l'amour naisse en elle.

INCANTATION D'AMOUR PAR LE SANG

Ingrédients et accessoires

- une goutte de sang de la personne de vos rêves
- une goutte de votre sang
- une bougie rouge
- une pomme
- de l'encens de rose

Rituel

Allumez la bougie rouge, puis commencez par déposer une goutte du sang de la personne sur l'encens de rose. Prononcez alors l'incantation suivante :

Sang de (dites le nom de la personne aimée),
Amour de (dites le nom de la personne aimée).

Déposez ensuite une goutte de votre propre sang en disant :

Sang de (dites votre nom),
Amour de (dites votre nom).

Allumez l'encens et faites passer une pomme trois fois à travers sa fumée. Tout en restant concentré, coupez la pomme en deux, mangez-en une moitié et donnez l'autre portion à la personne désirée pour qu'elle la mange.

POUR RAVIVER LA PASSION

Voici un rituel qui peut ramener la passion des premiers jours.

Ingrédients et accessoires

- une rose rouge
- une bougie rouge
- un crayon-feutre noir
- un petit sac noir

Rituel

Allumez la bougie et placez la rose en face de vous. Répétez deux fois:

Que le pouvoir du feu pénètre dans cette rose.

Prenez alors la fleur et enlevez autant de pétales que le prénom de votre partenaire comprend de lettres. Écrivez chaque lettre du prénom de votre amoureux sur un pétale différent. Placez les pétales devant vous et pensez très fort à l'autre. Répétez trois fois en chuchotant:

Que par le feu revienne la passion,
Que par la rose revienne le désir,
Retrouver les premiers soupirs
D'un amour sans nom.
Ainsi soit-il.

Éteignez la bougie et placez dans l'ordre les lettres (les pétales) dans le petit sac noir. Conservez ce sac pendant 31 jours près d'un miroir.

POUR ACCROÎTRE SON AMOUR POUR VOUS

Ingrédients et accessoires

- de l'encens de rose
- une bougie blanche
- une rose
- une aiguille

Rituel

Allumez l'encens de rose, puis allumez la bougie et placez la rose devant vous. Prenez l'aiguille et faites passer le bout dans la flamme de la bougie en disant une fois :

Que le pouvoir de la flamme amène l'amour.

Pensez très fort au visage de la personne aimée et transpercez la rose avec le bout de l'épingle chauffée. Transpercez trois pétales et répétez pour chacune :

Amour amené par le destin,
Amour ravivé par cette flamme,
(Dites le nom de la personne aimée),
Aime-moi comme au premier matin,
Retombe sous mon charme.
Ainsi soit-il.

Éteignez la bougie en soufflant sur la flamme. Jetez l'aiguille et faites bien attention que personne ne se blesse. Conservez la rose dans de l'eau jusqu'à ce qu'elle se fane. L'effet est progressif et vous verrez un changement graduel et régulier.

POUR QU'IL VOUS DÉCLARE SON AMOUR

Ingrédients et accessoires

- un pétale de votre fleur préférée
- un pétale de sa fleur préférée
- quelques gouttes de votre parfum
- quelques gouttes de son parfum
- une bougie rouge
- un petit coffret ou un récipient muni d'un couvercle

Rituel

Allumez la bougie. Déposez les pétales dans le coffret, côte à côte, le vôtre à droite et le sien à gauche. Versez quelques gouttes de votre parfum sur votre pétale et quelques gouttes de son parfum sur son pétale. Versez de la cire chaude, provenant de la bougie rouge, sur les deux pétales. Puis, collez-les face contre face en répétant trois fois :

J'invoque Mumiah, symbole de la révélation.
Qu'il te possède et éclaire la route qui te mène vers moi

Pour que tu puisses me faire ta déclaration.
Tu le sais, tu le peux, tu le dois.
Ainsi soit-il.

Refermez le coffret. Gardez-le dans un endroit sombre et aéré. Ne l'ouvrez plus et veillez à ce que personne n'y touche ni ne l'ouvre. Ce rituel sera plus efficace s'il est exécuté un vendredi un peu avant minuit.

POUR RÉUNIR DEUX PERSONNES

Ingrédients et accessoires

- une feuille de papier blanc
- un stylo noir
- des bougies jaunes
- 3 c. à soupe (45 ml) de menthe poivrée, de rose et de lavande
- sept graines de tournesol
- une pochette

Rituel

Sur le papier, écrivez ce charme à l'encre noire:

Par la menthe et la rose, par la flamme et les étoiles,
Je t'amène ici d'où que tu sois, afin de lever le voile.
Nous nous rencontrons souvent dans nos rêves, mais ce sort nous présentera.
Car je t'appelle ici, je t'amène ici,
Et tu t'en viens ici, car tu es à moi.
Telle est ma volonté, viens vers moi,
Et dans nos rêves, ensemble moi et toi.

Remplissez ensuite la pochette avec les herbes et les graines; pliez la feuille de papier en trois et glissez-la également à l'intérieur. Avant d'aller dormir, placez le charme sous votre oreiller ou près de celle-ci. Vous l'amènerez ainsi à vous par vos rêves.

POUR RAPPROCHER DEUX PERSONNES

Ingrédients et accessoires

- de l'eau recueillie une nuit de pleine lune
- deux photographies
- un bol
- une bougie verte

Rituel

Aspergez de l'eau de pleine lune (que vous serez préalablement allé chercher dans un ruisseau) sur une photographie de vous et de votre bien-aimé. Placez ensuite une bougie verte dans une cuvette. Emplissez-la de la même eau, puis allumez la bougie. À présent, en fixant le reflet de la bougie sur les photographies, visualisez l'arrivée de votre bien-aimé venant pour vous trouver. Dites alors l'incantation suivante:

Par l'eau sacrée, mon amour, viens vers moi
Comme une rivière se jette à la mer.
Vogue vers moi, amour! Ici tu trouveras la fin du voyage.
Et dans ton cœur tu sauras que nos vies doivent s'unir.

Visualisez jusqu'à ce que la bougie s'éteigne dans l'eau.

LES AMOUREUX SE CROISERONT

Ingrédients et accessoires

- deux bougies jaunes
- une photographie de vous
- une photographie de l'amoureux
- une pierre d'aimant
- du fil jaune ou blanc
- une aiguille

Rituel

Par une nuit de lune croissante, de préférence en signe du Gémeaux (voir à ce sujet le calendrier des heures planétaires à la page 37), dressez votre autel avec tout le matériel nécessaire. Allumez les bougies et dites, en tenant les photographies dans vos mains:

Image de toi, image de moi, bientôt ensemble, moments tendres.

Ensuite, avec le fil et l'aiguille, liez les photographies ensemble. Placez le montage au centre de votre autel et déposez la pierre d'aimant au-dessus. À la pleine lune, allumez une bougie et placez le charme dessous. Lancez le sort par ces paroles:

Une photo de toi, une photo de moi,
Une photo de nous, ensemble, un tout.
Viens, je le veux pour la vie,
Telle est ma volonté, qu'il en soit ainsi!

Maintenant que tout est en place, vous devrez prendre votre courage à deux mains et appeler la personne pour la convaincre de vous rencontrer; si elle n'est pas disponible ce jour-là, réitérez une autre fois.

CHARME DE L'AMOUR FLAMBOYANT

Ingrédients et accessoires

- du bois de foyer
- un couteau

Rituel

Ce charme d'amour demande votre participation ainsi que celle de votre partenaire amoureux. C'est un charme plutôt romantique pour maintenir le désir éternellement vivant dans le couple. Vous aurez besoin d'un endroit où vous pourrez faire un feu pour exécuter le rituel. Asseyez-vous avec votre bien-aimé près d'un feu chaud. Ensuite, gravez vos initiales ensemble sur un morceau de bois; chacun gravera les initiales de l'autre. Puis, scellez les initiales avec un baiser en embrassant les siennes, tandis qu'il en fera de même pour les vôtres encore une fois. Jetez le morceau de bois dans le feu et, pendant qu'il commence à se consumer, embrassez-vous. Joignez vos mains ensemble, doigts entrelacés, et regardez le feu. Laissez vos corps et vos cœurs baigner dans la chaleur des flammes. Faites mutuellement le souhait que votre passion l'un pour l'autre sera éternelle.

Vous devrez ajouter au moins trois nouvelles bûches avant de laisser le feu à lui-même. Si vous buvez un verre de vin devant ce feu, vous gagnerez une certaine sagesse spirituelle subtile; si vous partagez un verre de cidre, vous ne serez jamais infidèle entre vous. Il est dit que les esprits vivent dans le bois et qu'ils accordent souvent les souhaits à ceux qui les formulent.

SORT DE LA BOUCLE DE CŒURS

Ingrédients et accessoires

- du papier rouge
- des ciseaux
- un crayon noir
- une aiguille et du fil rouge
- une petite bougie rouge et une bougie brune
- un petit miroir rond

Rituel

Ceci est un charme d'amour pour le couple. Il devrait être fait d'une façon espiègle, faisant ainsi ressortir l'enfant dans chacun de vous alors que vous découperez les cœurs de papier. Découpez 12 cœurs dans le papier rouge et placez-les en forme de cercle. Écrivez le nom de votre amoureux sur six des cœurs; votre bien-aimé écrira le vôtre sur les six autres. Posez le miroir à plat, et placez les cœurs autour de lui en alternant les noms.

Allumez les bougies. Le rouge favorisera la passion, l'amour et les sentiments sensuels; le brun apportera l'harmonie à l'environnement où vous exécutez ce charme. S'il est effectué dans la maison, il augmentera l'atmosphère d'amour. S'il est pratiqué à l'extérieur, il créera une aura d'amour que d'autres pourront remarquer en passant à proximité. Penchez-vous au-dessus du miroir et répétez le nom de votre amoureux six fois, prenant chaque fois un cœur portant son nom. Votre partenaire fera ensuite la même chose. Puis, avec le fil et l'aiguille, cousez un de vos cœurs à l'un de votre amoureux. Ensuite, il en ajoutera un au vôtre. Continuez jusqu'à ce qu'ils soient tous cousus ensemble en une boucle. Accrochez cette boucle près du lit...

POUR AMENER DEUX AMIS À S'AIMER

Ingrédients et accessoires

- un bout de ficelle blanche
- un morceau de papier blanc
- un crayon-feutre noir neuf
- un crayon-feutre rouge neuf
- une bougie blanche

Rituel

Attachez le bout de ficelle à la moitié de la bougie blanche (la bougie ne devra pas brûler plus loin que l'endroit où la ficelle est attachée). Placez le morceau de papier blanc avec les crayons devant vous. Allumez la bougie.

Utilisez le crayon-feutre noir pour écrire le nom de votre *ami* sur le côté droit du papier. Utilisez ensuite le crayon-feutre rouge pour écrire celui de votre *amie* sur le côté gauche du papier et visualisez bien les deux visages. Pliez le morceau de papier de façon que les deux noms se trouvent un par-dessus l'autre. Placez votre main droite sur le papier et ne dites qu'une fois:

Que les dieux et les déesses m'entendent et m'aident
Pour qu'entre ces êtres naisse en ce jour.

Que les dieux et les déesses m'entendent et m'aident
Pour qu'entre ces êtres naisse l'amour.
Ainsi soit-il.

Éteignez la bougie rapidement et ne l'utilisez plus. Si la bougie a brûlé plus loin que la ficelle, le rituel ne fonctionnera pas. Recommencez.

Conservez le papier plié dans un gros livre où le mot «amour» y est inscrit au moins une fois (vous pouvez le conserver dans un dictionnaire à la page où l'on trouve le mot «amour»). Le rituel devrait faire son effet dans les 21 jours suivants.

POMME MAGIQUE

Ingrédients et accessoires

- une pomme rouge

Rituel

La pomme, sacrée aux sorcières, est un symbole magique de l'amour et est employée pour améliorer votre charisme sexuel. Si vous coupez une pomme en son centre, la disposition des cinq pépins forme un pentagramme parfait, avec la peau rouge de la pomme formant le cercle. Pendant une période de lune croissante, tenez une pomme entre vos mains et placez-vous là où elle pourra absorber la lumière lunaire. Prononcez cette incantation avant de prendre la première bouchée:

Ô belle dame, déesse de l'amour désiré,
J'honore ton amour et ta beauté.
Apporte-moi un amour qui ne sera pas banal,
Envoyé directement de par les étoiles.

Au moment où vous prenez la première bouchée, pensez à la déesse et aux étoiles dans le ciel. Imaginez l'amour, fruit doux et juteux, se transformant en une romance des plus exquises.

POUR ACCROÎTRE LA CONFIANCE PERSONNELLE

Ingrédients et accessoires

- un miroir
- deux bougies roses

Rituel

Dans un endroit tranquille, méditez un moment, puis placez le miroir sur votre autel avec une bougie de chaque côté. Allumez les bougies. Maintenant, asseyez-vous devant le miroir et fixez votre reflet. Notez toutes vos qualités, concentrez votre attention sur elles. Puis, dites à haute voix comment merveilleux sont vos yeux, par exemple, en raison de leur forme, de leur couleur; parlez pour eux à haute voix. Dites-vous à quel point vous êtes unique et merveilleux. Énumérez tous les aspects positifs de votre personnalité (votre bonne humeur, votre volonté, etc.). Nommez tout ce qui fait de vous un être spécial. Cela vous semblera simple, mais sachez que c'est un excellent exercice pour bâtir cette confiance requise.

POUR DEVENIR IRRÉSISTIBLE

Vous voulez que les personnes du sexe opposé viennent à vous, qu'elles tombent sous votre charme? Ce rituel vous rendra irrésistible et vous serez le point de mire des soirées.

Ingrédients et accessoires

- de l'encens de bois de santal
- une bougie rouge
- 1 pincée de basilic
- un carré de tissu rouge
- un ruban rouge

Rituel

Étendez le carré de tissu. Faites brûler l'encens complètement et recueillez les cendres que vous déposez dans le carré de tissu. Ajoutez-y la pincée de basilic. Allumez la bougie et laissez-la brûler au moins jusqu'au quart, puis versez quelques gouttes de cire chaude sur le basilic en répétant:

J'attire à moi ceux qui me plaisent,
Sans aucune exception.
Avec moi, ils se sentent à l'aise
Et m'offrent leur cœur sans condition.
Ainsi soit-il.

Refermez le carré de tissu à l'aide du ruban rouge. Déposez-le sous votre oreiller la nuit, mais portez-le en tout temps sur vous lors de vos sorties. Veillez bien à ce que personne d'autre que vous ne le touche. Ce rituel sera plus efficace s'il est exécuté un soir de pleine lune. Si l'effet tarde à se faire sentir, recommencez le rituel car il est parfois nécessaire de le refaire deux ou trois fois.

CHARME DE BEAUTÉ

Ingrédients et accessoires

- un miroir
- une bougie blanche
- une photo de ce que vous voulez changer sur vous

Rituel

À la pleine lune, prenez un miroir et sortez à l'extérieur (ou alors ouvrez une fenêtre et assurez-vous que la lune réfléchit sur votre miroir). Prenez un morceau d'une photographie de ce que vous voudriez changer sur vous (cheveux, nez, lèvres, yeux, etc.) et déposez-le sur le miroir. Concentrez-vous et dites:

Astre lunaire, laisse le vent transporter ta lumière,
Que ta lueur couvre mon corps, et ton éclat dans chaque œil.

Répétez trois fois en vous concentrant sur la partie que vous voulez changer, puis dites alors:

Astre lunaire, forme et modèle mon corps;
Comme une rose se fait accorder la beauté,
Laisse-moi fleurir dans ta lumière.
Lumière qui m'apporte la beauté,
Accorde-moi la beauté trois fois trois.

Répétez trois fois, allumez une bougie et détendez-vous une quinzaine de minutes.

POUR CHANGER LA COULEUR DES YEUX

Ingrédients et accessoires

- une bougie de la couleur que vous désirez obtenir
- un pentacle

Rituel

Voici un curieux charme pour changer la couleur de vos yeux. Vous pouvez utiliser plusieurs bougies de la même couleur si vous le désirez, cela augmentera la puissance du charme. Allumez les bougies autour du pentacle, asseyez-vous devant celles-ci et fixez les flammes avec grande attention et concentration. Dites ensuite neuf fois:

1, 2, 3, change pour moi,
1, 2, 3, mes yeux (nommez la couleur de vos yeux)
Changent pour (nommez la couleur désirée).

Ensuite, ajoutez neuf fois:

Par la puissance de trois par trois,
Que le changement s'opère et qu'il soit vu!

Imaginez que vos yeux adoptent leur nouvelle couleur. L'effet dépendra de la puissance que vous aurez mise dans votre rituel.

POUR CHANGER LA COULEUR DE VOS CHEVEUX

Ingrédients et accessoires

- trois bougies orange ou rouges
- un miroir

Rituel

Par une nuit de Vénus, lorsque la lune sera en pleine croissance, dressez votre autel avec tout le nécessaire. Allumez les trois bougies et placez-les de façon qu'elles forment un triangle sur votre autel. Concentrez-vous pendant un moment pour calmer votre mental. Quand vous vous sentirez prêt, fermez les yeux en plaçant vos mains sur vos cheveux; imaginez que la couleur quitte vos cheveux, qu'ils pâlissent, qu'ils sont de plus en plus pâles et qu'ils deviennent blancs. Imaginez tenir ce blanc entre vos mains. Levez-les lentement et arrêtez-vous au-dessus des bougies. Visualisez la couleur se transformer par la force de votre volonté et de celle des bougies en la couleur désirée. Après quelques minutes de visualisation, remettez vos mains de nouveau sur votre tête et laissez vos cheveux se colorer de nouveau. Dites ensuite:

Feu rouge, feu chaleureux, charme sur ma tête tous mes cheveux.
Feu qui danse et feu brillant, de (nommez la couleur de vos cheveux) *à* (nommez la couleur désirée), *ce vœu étant.*
Par le feu, l'eau, la terre et le vent, telle est ma volonté, tel qu'il en soit!

Ensuite, ouvrez les yeux et regardez votre reflet dans le miroir. Si vos cheveux ont changé, l'effet sera de courte durée, selon la force que vous y avez projetée. Si, au contraire, rien ne s'est produit, essayez de nouveau une autre nuit!

POUR AIDER À GUÉRIR UN CŒUR BRISÉ

Ingrédients et accessoires

- un chaudron
- du lait
- un œuf
- un peu de rhum
- 1 c. à thé (5 ml) de sucre
- un zeste de citron

Rituel

À la nouvelle lune, chauffez du lait dans une casserole. Ajoutez un peu de rhum ainsi qu'un œuf. Ajoutez le sucre et un zeste de citron. Chauffez le tout, sans porter à ébullition. Retirez ensuite le chaudron du feu, laissez refroidir et buvez en imaginant l'amour que vous redécouvrirez.

POUR CHASSER UN CHAGRIN D'AMOUR

Ingrédients et accessoires

- une bougie violette (ou mauve)
- un récipient où vous pouvez faire brûler du papier
- du papier blanc
- un crayon-feutre rouge
- deux clous de girofle

Rituel

Dans une pièce ensoleillée, aérée et calme, allumez l'encens et la bougie. Inscrivez le prénom et le nom de la personne à oublier sur le papier à l'aide du feutre rouge. Concentrez-vous longuement sur cette personne jusqu'à très bien la visualiser. Déposez le papier ainsi que les clous de girofle dans le récipient. Faites couler quelques gouttes de cire provenant de la bougie en répétant trois fois:

Comme la cire qui brouille ton nom,
Se brouille ton souvenir en moi.

Brûlez le papier et les clous de girofle en répétant trois fois:

Comme la flamme qui emporte ton nom,
Se meurt à jamais mon souvenir de toi.

Ce rituel doit être pratiqué un mardi. Le récipient contenant les cendres doit être exposé sur le bord d'une fenêtre, jour et nuit, pendant sept jours consécutifs. Le huitième jour, enterrez-le au pied d'un arbre en répétant trois fois:

Comme les cendres sous la terre,
Tu ne peux plus m'atteindre désormais,
Car avec ton souvenir que j'enterre,
Je me délivre de toi à tout jamais.
Ainsi soit-il.

POTION CONTRE LES SOUFFRANCES

Ingrédients et accessoires

- une théière
- une boule à thé
- une bouteille
- des fleurs de jasmin
- des pétales de rose
- de la racine d'iris
- de l'huile de jasmin
- un quartz rose
- des éclats de quartz rose
- de l'eau de source
- trois bougies: une rose, une blanche, une bleue
- une pochette de tissu

Rituel

Dans une boule à thé, combinez les fleurs de jasmin, les pétales de rose, la racine d'iris et le quartz rose. Faites bouillir pendant environ 13 minutes dans une théière. Versez ensuite le liquide (sans le quartz rose) dans une bouteille avec sept petits morceaux de quartz rose, ainsi que trois gouttes d'eau de source et trois gouttes d'huile de jasmin. Assurez-vous d'être seul pour préparer ce mélange magique, vous pourrez ainsi avoir toute la cuisine à vous seul et travailler à la lueur des trois bougies.

Pour l'utiliser, rien de plus simple: frottez-en votre corps – s'il n'est pas suggéré de boire la potion, vous pourrez toutefois en déposer une goutte sur vos lèvres. Puis, dans une pochette de tissu de la même couleur que l'une des bougies, placez le plus gros morceau de quartz avec les herbes que vous avez fait bouillir et, après l'avoir laissé sécher pendant quelques jours, portez-le sur vous ou disposez-le dans un endroit où vous êtes souvent.

BAIN POUR LES RUPTURES

Ingrédients et accessoires

- trois ou cinq œillets blancs
- trois ou cinq œillets roses
- de l'aloès
- du romarin

Rituel

Prenez vos trois ou vos cinq œillets blancs, passez-les légèrement sur votre corps, de la tête aux pieds. Quand vous serez arrivé aux pieds, passez les fleurs entre vos orteils. Après avoir répété cette gestuelle avec chaque œillet, cassez la tige pour emprisonner la douleur à l'intérieur de la fleur. Ensuite, prenez un bain avec de l'aloès, du romarin et les œillets roses. Frottez votre corps avec ces œillets alors que vous êtes dans le bain. Après une quinzaine de minutes, videz le bain, puis cassez les tiges des œillets roses (toujours dans le bain). Enveloppez-vous dans une serviette blanche ou rose et laissez-vous sécher à l'air libre. Répétez tous les soirs pendant une semaine, en sentant chaque fois la douleur de la rupture s'estomper.

POUR RENVERSER UN SORT D'AMOUR (1)

Ingrédients et accessoires

- une photographie du couple
- une bougie mauve

Rituel

Un soir en période de lune décroissante, prenez une photographie du couple ou écrivez leurs noms au complet sur un morceau de papier blanc. Allumez une bougie mauve et appelez, en vos mots, la déesse de la magie argentée. Ensuite, tenez dans vos mains la photographie (ou le papier) et dites :

> *Je demande à la déesse de rompre cette union entre* (dites les noms des personnes).

Déchirez la photographie, en séparant distinctement les deux personnes, tout en disant :

Comme je les sépare symboliquement, physiquement ils le sont!

Brûlez une moitié (celle de l'autre personne si vous êtes impliqué dans la relation) et dites encore:

Comme je brûle le lien, le sort est rompu. Qu'il en soit ainsi!

Remerciez la déesse de son aide et fermez le cercle. Débarrassez-vous ensuite des cendres.

POUR RENVERSER UN SORT D'AMOUR (2)

Ingrédients et accessoires

- une bougie noire
- un morceau de papier

Rituel

Un samedi soir, en lune décroissante, écrivez sur un morceau de papier à la lumière d'une bougie noire le nom de la personne qui est sous l'emprise du sort. Répétez ensuite neuf fois cette incantation:

Mes vœux exaucés, libre maintenant tu es,
Telle est ma volonté, le sort est défait.

Brûlez le papier avec la flamme de la bougie et jetez les cendres aux quatre vents.

POUR ANNULER UN CHARME D'AMOUR

Ingrédients et accessoires

- 1 tasse (250 ml) de pétales de rose
- ½ tasse (125 ml) de mandragore
- un flacon

Rituel

Par une nuit d'un vendredi, le plus près possible de la nouvelle lune, faites infuser les pétales de rose. Récupérez ensuite l'eau et versez-la dans le flacon prévu à cet effet, en prenant soin de bien refermer hermétiquement. Faites sécher vos pétales et conservez-les. Tracez un cercle magique et allumez un petit feu. Concentrez-vous quelques instants et, quand vous vous sentirez prêt, jetez au feu les pétales ainsi que la mandragore en murmurant dans la nuit:

J'appelle les tempêtes, j'appelle les vents,
Pour frapper le sol et plier les arbres dès maintenant.

Je vous appelle, Cerridwyn, Morgana et Aine,
Pour emmener mon amour loin de moi.
Qu'il puisse retrouver l'amour ailleurs,
Un pur et vrai, car seul maintenant je vais.

Prenez une profonde inspiration et ajoutez:

Qu'il en soit ainsi!

Laissez une offrande d'eau. Puis, récupérez les cendres et tout le reste, et enterrez-les dans un terrain vague.

RITUEL POUR ÉLIMINER UN RIVAL

Ingrédients et accessoires

- 1 tasse (250 ml) d'eau très chaude
- une bougie rouge
- une photo de votre amoureux

Rituel

Placez sur une table, de gauche à droite, l'eau chaude, la bougie rouge et, enfin, une photo de la personne dont vous voulez garder le cœur. Tout d'abord, placez votre main droite sur la photo. Allumez alors la bougie en répétant quatre fois:

Je veux que par cette flamme meure cette rivalité,
Je veux que par cette eau naisse la tranquillité,
Pour moi seul son amour,
Et ce, pour toujours.
Ainsi soit-il.

Buvez l'eau, qui doit être chaude, en trois gorgées. Le sort devrait faire effet d'ici la prochaine pleine lune.

POUR ROMPRE DOUCEMENT UNE RELATION

Ingrédients et accessoires

- une bougie noire pour l'homme
- une bougie rouge pour la femme
  (bougies de forme humaine, de préférence)
- une aiguille

Rituel

À l'aide d'une aiguille, gravez le nom des personnes sur les bougies respectives. Prenez la bougie de l'autre personne entre vos mains et dites-lui pourquoi vous (ou la personne pour qui vous faites ce sort) ne ressentez pas une réciprocité pour ses sentiments amoureux. Souhaitez-lui du bien et qu'elle puisse rencontrer quelqu'un qui saura la combler. Visualisez-la, heureuse de nouveau.

Disposez ensuite les bougies dos à dos, allumez-les et séparez-les de quelques centimètres. Laissez-les brûler environ une quinzaine de minutes pendant que vous visualiserez la rupture de cette relation en bons termes; répétez le même procédé chaque jour, en éloignant de plus en plus l'une de l'autre les bougies. Après une semaine (c'est-à-dire sept rituels consécutifs), prenez les restes des bougies et enterrez-les dans le sol en visualisant la rupture.

POUR VOUS DÉBARRASSER D'UNE PERSONNE QUI VOUS AIME

Ingrédients et accessoires

- une bougie noire
- du papier et de l'encre noire

Rituel

Un samedi soir, en lune décroissante, prenez un carré de papier et écrivez le nom de la personne qui tourne autour de vous avec de l'encre noire. Allumez la bougie et brûlez le papier dans la flamme de celle-ci, en visualisant la personne qui s'éloigne de vous au pas de course. Récupérez les cendres, sortez à l'extérieur et, les cendres dans votre main droite, dites:

Vents du nord, du sud, de l'est et de l'ouest,
Apportez cette affection là où elle sera la bienvenue.
Que son cœur soit ouvert et libre,
Et que ses pensées soient loin de moi!

Soufflez dans votre main et répandez les cendres.

POUR ÉLOIGNER UN PRÉTENDANT

Ingrédients et accessoires

- quatre boules de cire
- quatre aiguilles

Rituel

Quelqu'un tente de courtiser l'un ou l'une de vos proches et vous savez que cette personne ne lui apportera que du mal... Vous pouvez agir, mais attention au choc en retour si votre action n'est pas justifiée!

Par une nuit de lundi, lorsque la lune sera décroissante, prenez quatre boules de cire et quatre aiguilles. Passez-les neuf fois dans la fumée de l'encens en récitant l'incantation suivante:

Rien ne persiste, rien ne perdure.
Tout lui résiste, car c'est une ordure!
Aucune émotion pour ce prétendant mal intentionné,
Cet amour est étouffé, la passion est déjà consumée.
Dos à dos, chacun son chemin car telle est ma volonté!

Laissez l'encens parfumer la maison pendant que vous insérez les aiguilles dans chaque boule de cire. Placez les charmes aux endroits où le couple a l'habitude de se retrouver. Le résultat sera tel que le couple se querellera et finira par se séparer, mettant ainsi fin à leur relation de façon définitive.

LES PHILTRES D'AMOUR

Les philtres d'amour sont véritablement ce que les gens ont habituellement tendance à qualifier de *potions magiques*, c'est-à-dire une substance quelconque versée à l'insu d'une personne de façon qu'elle la consomme pour tomber amoureuse. En d'autres termes, un philtre est un type d'objet-pouvoir: la substance aqueuse que vous utiliserez sera chargée de votre magnétisme et de votre pouvoir de suggestion. Lorsque la personne visée ingérera le philtre, cet objet-pouvoir se déclenchera et transmettra ainsi sa charge de suggestions. Vous pourrez ainsi fabriquer une multitude de philtres en vous basant sur les deux charmes indiqués plus loin. Évidemment, lorsque vous ferez usage de telles potions magiques, prenez garde d'agir avec précaution et dans le plus grand secret. Vous auriez bien du mal à vous expliquer si vous vous faisiez prendre...

LES PRÉPARATIFS

Pour fabriquer vos philtres d'amour, vous aurez besoin de quelques petits préparatifs. Érigez votre temple – ou votre espace de travail magique – de façon habituelle, en disposant votre autel face à l'est. Si vous le désirez, vous pouvez décorer votre autel avec quelques fleurs odorantes. Au centre de celui-ci sera disposée votre coupe magique, flanquée de deux bougeoirs – les bougies seront de la même couleur que celles du type de cercle magique que vous tracerez. À portée de la main, vous disposez une petite quantité d'eau de source ainsi qu'une petite fiole vide dans laquelle vous verserez votre philtre quand l'opération sera terminée. Derrière la coupe brûlera un encens d'amour analogue au type de philtre que vous désirez créer (voir à ce sujet le chapitre «Les herbes et les encens pour l'amour», à la page 23). Vous aurez aussi besoin de vous munir d'un pilon et d'un mortier pour broyer vos herbes et vos plantes, et de votre grimoire dans lequel seront consignées les incantations que vous aurez composées.

AVANT DE FABRIQUER VOS PHILTRES

Concentrez-vous pendant quelques minutes en respirant profondément. Tentez de sentir et de percevoir l'énergie de votre cercle magique tout autour de vous. Puis, allumez les deux bougies et l'encens que vous avez choisi d'utiliser, et ouvrez le rituel dans des mots similaires à ceux-ci:

C'est en ton nom (nommez la divinité choisie)
Et au nom de tes ministres d'amour
Que j'entreprends cette œuvre d'amour.

Prenez votre temps pour ressentir la présence de la divinité invoquée près de vous. Vous pouvez également prononcer son nom à plusieurs reprises comme un mantra pour vous aider à vous brancher sur la bonne longueur d'onde. Conservez à l'esprit cette présence et son image mentale pendant tout le rituel. Procédez dès lors à la composition même du philtre.

Voici deux philtres magiques que vous pourrez préparer sans aucune difficulté. Observez attentivement le mode de préparation, car cela vous permettra d'en assimiler la base pour ensuite créer vos propres recettes en vous servant de la liste des herbes simples supplémentaires, que vous noterez dans votre grimoire. Vous n'avez aucune contrainte, alors laissez aller votre imagination et faites ce que vous ressentez être juste...

LE CHARME DE LA CORIANDRE

Ingrédients et accessoires

- votre coupe
- de l'eau de source
- sept graines de coriandre

Rituel

Versez un peu d'eau de source dans votre coupe. Broyez ensuite dans votre mortier sept graines de coriandre tout en vous représentant mentalement la personne qui est destinée à boire ce philtre – l'être que vous aimez. Prononcez son nom à voix haute sans arrêt, tant que les graines ne sont pas transformées en une poudre fine. Lorsque vous avez atteint cette étape, dites alors :

Semence chaude, cœur chaud,
Que jamais rien ne les sépare.

Versez la poudre dans la coupe en visualisant qu'elle s'enflamme au contact de l'eau. Imposez vos mains au-dessus de la coupe et imaginez pendant un certain temps que votre bien-aimé est foudroyé d'amour pour vous en buvant ce philtre. Quand votre concentration commencera à faiblir, concluez le rituel par cette phrase:

Telle est ma volonté, qu'elle en soit exaucée!

Scellez votre travail en traçant une triple croix au-dessus de la coupe avec votre index de la main droite. Puis, laissez le mélange reposer pendant 12 heures (laissez les bougies s'éteindre d'elles-mêmes). Ensuite, à l'aide d'un morceau de tissu à fromage ou d'un tamis, filtrez le liquide de façon que la poudre puisse en être retirée et versez-le dans la fiole. Il ne vous restera plus qu'à attendre le moment opportun pour intégrer votre philtre aux aliments ou dans une boisson que vous offrirez à la personne aimée.

LE CHARME DE LA PERVENCHE

Ingrédients et accessoires

- votre coupe
- de l'eau de source
- de l'herbe de pervenche, de la quintefeuille, de la verveine, de la mercuriale
- des pétales de rose

Rituel

Préparez votre temple comme il est indiqué précédemment. Allumez les bougies, l'encens, etc. Prenez des parties égales de feuilles séchées de pervenche, de quintefeuille, de verveine, de mercuriale ainsi que des pétales de rose. Réduisez le tout en une fine poudre, en répétant en même temps et sans arrêt votre profonde intention envers l'être aimé:

Par cet acte de magie d'amour,
Je lie (dites le nom de la personne aimée)
À (dites votre nom ou celui de toute autre personne)
Par les liens solides du désir foudroyant et de l'amour.

Versez la poudre dans la coupe en visualisant qu'elle s'enflamme au contact de l'eau. Imposez vos mains au-dessus et imaginez que ces deux personnes sont foudroyées d'un amour mutuel. Quand votre concentration commencera à faiblir, concluez le rituel par cette phrase:

Telle est ma volonté, qu'elle en soit exaucée!

Scellez votre travail en traçant la triple croix au-dessus de la coupe. Laissez le mélange reposer pendant 12 heures. Ensuite, filtrez le liquide de façon que la poudre puisse en être retirée et versez-le dans une fiole. Il ne vous restera plus qu'à attendre le moment opportun pour intégrer votre philtre aux aliments ou dans une boisson que vous offrirez à la personne aimée.

À RETENIR

Si vous fabriquez un philtre pour que deux personnes tombent amoureuses (en vous excluant vous-même), vous devez faire en sorte que chacune d'elles boive une partie du philtre. Afin que ce dernier puisse agir, versez votre potion dans deux boissons ou aliments que chacun, de son côté, consommera.

Voici quelques herbes simples pour concocter vos propres philtres d'amour.

aneth	cumin	marjolaine	primevère
anis	fenouil	mercuriale	quintefeuille
basilic	fleurs de tilleul	pervenche	romarin
cardamome	gingembre	pétales de rose	thym
chicorée	ginseng	pétales de violette	valériane
coriandre	iris	pomme (fleur et fruit)	verveine

LES POUDRES MAGIQUES

La tradition des poudres magiques est aussi vieille que le monde; on en retrouve d'ailleurs la trace dans les grimoires les plus anciens. Il faut dire qu'elles sont très pratiques: elles prennent peu d'espace lorsqu'on les place dans de petites bouteilles de verre ou de bois et l'on peut en verser quelques grains sans attirer l'attention... Elles sont aussi faciles à préparer, ne requérant comme outils qu'un mortier et un pilon pour réduire les herbes en poudre.

LE PRINCIPE

Mais comment fonctionnent ces poudres? En fait, c'est très simple. Lorsque vous préparez votre poudre, vous transférez l'énergie magique du rituel dans les herbes elles-mêmes, mais les propriétés ou les pouvoirs magiques des herbes sont aussi accentués par l'énergie et la concentration que vous mettez à la réalisation de votre rituel. Par la suite, chaque fois que vous libérez une portion de votre poudre, vous libérez une partie de son pouvoir afin que se concrétise votre sortilège. De là, d'ailleurs, le fait que vous n'ayez pas à répéter fois après fois le rituel pour bénéficier de son énergie magique. En d'autres mots, c'est de la magie en bouteille et vous pouvez vous en servir selon vos besoins.

Par exemple, si vous concoctez une poudre d'amour, vous n'avez qu'à en parsemer vos vêtements ou vos draps pour libérer le sortilège et attirer vers vous la personne de votre désir. Si vous désirez obtenir de l'argent ou accroître votre prospérité, il vous suffit de verser quelques grains de votre poudre de prospérité dans votre porte-monnaie pour attirer vers vous la richesse et la prospérité.

Encore une fois, il ne faut pas oublier que la magie fonctionne de façon subtile et pas dans la tradition du cinéma ou des contes de fées.

Ingrédients et accessoires

- *Un mortier et un pilon*

Traditionnellement, le pilon était de bois et le mortier était un bol de poterie ou de pierre. Il existe sur le marché des mortiers et des pilons de marbre qui ne sont pas coûteux et de taille suffisante pour ce que vous avez à faire. Si vous ne possédez pas ces accessoires, vous pouvez tout simplement utiliser un bol épais et une cuillère de bois pour y écraser vos herbes.

- *Les herbes*

Il est important d'utiliser la meilleure qualité d'herbe possible. L'idéal est de faire pousser vos propres herbes et de les sécher vous-même. Bien sûr, cela n'est pas toujours possible; aussi, si vous n'avez pas l'espace ou le temps pour vous consacrer à cette tâche, choisissez bien votre fournisseur d'herbes. Les boutiques ésotériques spécialisées et les magasins d'aliments naturels pourront également vous aider.

- *Les bougies*

La seule règle à respecter est celle de la couleur. Vous pouvez utiliser n'importe quelle sorte de bougie, même celle que vous trouvez dans les magasins à rabais. Pas besoin de vous servir des bougies à la cire d'abeille qui coûtent très cher pour que votre sortilège réussisse. Il est vrai que ces dernières dégagent une odeur très agréable, mais c'est une question de goût et de moyens. Si vous utilisez des bougies qui dégagent un parfum, faites cependant attention que l'essence soit compatible avec votre rituel. En cas d'urgence, vous pouvez vous servir d'une bougie blanche pour remplacer n'importe quelle autre couleur.

- *La poudre de base*

Pour faire la base de vos poudres, vous pouvez utiliser de la fécule de maïs ou de la farine de riz. Cette substance constitue environ la moitié de votre mélange, il s'agit de la base à laquelle vous ajouterez vos herbes. Par exemple, si vous décidez de mélanger ½ tasse (125 ml) de poudre magique, votre mélange de base sera de ¼ tasse (60 ml), auquel s'ajoutera ¼ tasse (60 ml) d'herbes et de colorant.

- *Les colorants*

La couleur est un aspect facultatif, quoique certains estiment qu'elle ajoute de la puissance à votre poudre magique. Mais c'est à vous de décider. Si vous désirez utiliser des colorants, vous pouvez vous servir de peinture en poudre que vous trouverez facilement dans les magasins d'artisanat. Bien entendu, vous pouvez aussi décider d'utiliser des substances naturelles, mais c'est plus complexe et le processus est plus long.

- *Les serviettes de papier*

Un des avantages de notre monde moderne est sans aucun doute la serviette de papier, peu coûteuse! Elle se vend en rouleau et on l'utilise pour essuyer le pilon et le mortier entre chaque herbe que l'on pulvérise.

La préparation et le rituel

Installez-vous confortablement à une grande table où vous pourrez disposer tous vos ingrédients et vos accessoires près de vous. Vous pouvez décider de produire différentes poudres au cours de la même journée, mais sachez qu'il est important de les faire une à la suite de l'autre et de ne pas mélanger les différentes herbes. En conséquence, si vous décidez de faire plusieurs poudres, placez chaque combinaison séparément avec la bougie de la bonne couleur. Une fois que votre premier rituel est terminé, accordez-vous quelques instants pour vous détendre avant d'entreprendre le second rituel. Laissez-vous guider par votre intuition pour savoir dans quel ordre vous devez procéder.

- Préparez votre base en mélangeant une quantité égale de farine de riz et de fécule de maïs. Vous pouvez prévoir une plus grande quantité de cette base, car elle peut servir à la préparation de toutes les poudres, sans compter que vous pouvez conserver le reste dans un contenant de verre ou un plat de plastique qui ferme hermétiquement.
- Allumez la bougie appropriée pour la confection de votre poudre; utilisez une bougie de la même couleur que celle de la peinture indiquée dans votre recette, que vous coloriez ou non votre poudre. La couleur de la bougie aura pour effet de fortifier le rituel et le pouvoir de votre poudre magique.
- Si vous avez décidé de colorer votre poudre, mélangez la quantité appropriée de la base avec vos pigments de couleur à l'aide d'une cuillère de bois ou de porcelaine, jusqu'à ce que vous obteniez la couleur désirée. Mettez ensuite cette préparation de côté.
- Placez votre première herbe dans le mortier et pulvérisez-la soigneusement avec votre pilon. Pendant que vous réduisez votre herbe en poudre, concentrez-vous sur votre souhait ou votre demande. Une fois que c'est fait, placez votre poudre d'herbe dans un petit bol de bois ou de verre, essuyez soigneusement mortier et pilon avec une serviette de papier avant

de passer à la deuxième herbe. Procédez de cette façon jusqu'à ce que toutes les herbes qui doivent être contenues dans votre poudre soient réduites. Une fois que cette étape est terminée, prenez le bol contenant votre base et versez-en la quantité appropriée dans un grand bol à mélanger, toujours en mettant la base et le mélange d'herbes à parts égales.

- Il est maintenant temps de mélanger vos herbes et votre base afin de produire votre poudre magique. C'est l'instant magique de votre rituel. Concentrez-vous quelques instants sur votre demande et, tout en restant concentré, versez chacune des herbes dans le bol contenant votre base colorée.
- Prenez une cuillère de bois ou de porcelaine et, en tournant dans le sens des aiguilles d'une montre, mélangez toutes vos herbes en récitant l'invocation appropriée. Mélangez toujours dans le même sens en récitant l'incantation jusqu'à ce que toutes vos herbes soient mêlées à la base afin de former une poudre. Prenez ensuite le bol dans vos mains et élevez-le vers le ciel en répétant trois fois:

  Je remercie les puissances
  Qui me sont venues en aide
  Afin d'imprégner cette poudre
  De leur divine puissance.

- Une fois que vous avez terminé la préparation de votre poudre, soufflez la bougie et détendez-vous quelques instants.
- Placez votre poudre dans de petits contenants de verre ou de bois que vous pourrez porter sur vous. Vous pouvez aussi conserver le reste de votre poudre dans un pot de verre ou de céramique qui ferme hermétiquement.

LA POUDRE D'ATTRACTION

Pour attirer l'amour à vous.

Quand

- durant le cycle croissant de la lune

Bougie

- orange

Base

- farine de riz et fécule de maïs, en parties égales

Poudre de peinture

- orange (facultatif)

Herbes

- muscade
- racine d'iris
- jasmin séché

Invocation

> *Que toutes les bénédictions viennent à moi,*
> *Que l'amour abonde,*
> *Que la joie, l'amitié*
> *Et le bonheur convergent vers moi,*
> *Que ces richesses divines croissent avec la lune,*
> *Que vienne tout cet amour dont j'ai besoin.*
> *Ainsi soit-il.*

LA POUDRE DE LA CHANCE

Pour attirer la chance et l'amour vers vous.

Quand

- durant le cycle croissant de la lune

Bougie

- jaune

Base

- farine de riz et fécule de maïs, en parties égales

Poudre de peinture

- jaune (facultatif)

Herbes

- muscade
- quintefeuille
- cannelle

Invocation

> *Chance, chance,*
> *Sois tout autour de moi.*
> *Que la bonne fortune*
> *Et l'amour m'entourent,*
> *Que tout m'arrive,*
> *Que tout me comble,*
> *Que ma vie devienne radieuse.*
> *Qu'il en soit ainsi.*

LA POUDRE DU «NETTOYAGE»

Pour oublier un amoureux.

Quand

- durant le cycle décroissant de la lune

Bougie

- rouge

Base

- farine de riz et fécule de maïs, en parties égales

Poudre de peinture

- rouge (facultatif)

Herbes

- poivre de Cayenne (déjà en poudre)
- piments chili secs
- patchouli
- aiguilles de pin

Invocation

> *Partez, souvenirs anciens,*
> *Ne me dérangez plus.*
> *Quittez mon entourage,*
> *Ma maison et ma vie.*
> *Évanouissez-vous*
> *Comme le vent du soir,*
> *Disparaissez de ma présence et de ma vie.*

LA POUDRE DE CONSÉCRATION

Cette poudre est très pratique lorsque vous faites l'acquisition d'objets de rituels ou dont vous désirez vous servir lorsque vous pratiquez la magie du cœur, ou encore lorsque vous recevez en cadeau des objets ou des bijoux, comme un cristal ou des pierres. Il n'est pas toujours possible ou pratique de faire un rituel de consécration sur le coup. Vous pourrez alors utiliser cette poudre pour consacrer les objets dès leur réception.

Quand

- durant le cycle croissant de la lune

Bougie

- violette

Base

- farine de riz et fécule de maïs, en parties égales

Poudre de peinture

- violette (facultatif)

Herbes

- millepertuis
- persil
- gingembre
- pin

Invocation

> *Herbes sacrées qui éloignent le mal,*
> *Je vous rends grâce de vos pouvoirs.*
> *Que ma vie soit bénie de votre lumière,*
> *Que le mal ne puisse m'atteindre,*
> *Que les anges et les archanges veillent sur moi.*
> *Qu'il en soit ainsi.*

LA POUDRE D'AMOUR

Pour attirer à vous l'amour romantique sous la forme d'un partenaire sérieux, particulièrement si vous êtes seul depuis longtemps.

Quand

- durant le cycle croissant de la lune

Bougie

- rose

Base

- farine de riz et fécule de maïs, en parties égales

Poudre de peinture

- rouge (facultatif, très peu afin d'obtenir une teinte rose plutôt que rouge)

Herbes

- lavande
- boutons de rose rouge
- boutons de rose blanche
- jasmin séché

Invocation

> *Je rejette ma solitude aux quatre vents.*
> *Je veux que vienne vers moi le compagnon idéal,*
> *Le temps des pleurs et des regrets*
> *est définitivement passé.*
> *Cette poudre m'apporte la joie, le bonheur et le rire*
> *Afin que je les partage avec l'être aimé.*
> *Qu'il en soit ainsi.*

LA POUDRE DE SÉPARATION

Pour terminer une liaison ou une relation et pour que l'autre vous quitte sans créer de drame. Assurez-vous toutefois de prendre la bonne décision avant de vous servir de cette poudre.

Quand

- durant le cycle décroissant de la lune

Bougie

- vert pâle

Base

- farine de riz et fécule de maïs, en parties égales

Poudre de peinture

- verte (facultatif, très peu afin d'obtenir une teinte pâle)

Herbes

- rue
- tiges de rose avec les épines (Vous pouvez vous servir des bouts de tiges que vous coupez des roses lorsqu'elles sont trop longues: faites-les sécher et conservez-les dans un pot de verre.)
- quelques brins de gazon sec

Invocation

Mon amour pour toi est mort,
Je ne te veux plus
Ni dans mon cœur
Ni dans mon lit.
Pars sans tarder,
Que nous restions amis
Et que notre lien s'amenuise.
Que l'amour se transforme
en amitié sans peine.

LES OREILLERS MAGIQUES

Les oreillers magiques, ou pochettes d'herbes, sont un moyen efficace pour parvenir à vos fins et atteindre vos idéaux dans le domaine de l'amour. Combinant ainsi les effets des poudres magiques et des oreillers, vous aurez en main une toute nouvelle arme pour *influencer* votre destin. Comment cela fonctionne-t-il? Rien de plus simple. La base de tout oreiller magique est le mélange d'herbes qu'il contient. Ces herbes, réduites le plus finement possible, possèdent des qualités hors du commun et constituent de puissants charmes à elles seules.

Pour fabriquer vos oreillers, vous devrez tout d'abord préparer votre mélange, c'est-à-dire votre poudre magique (comme vous l'avez fait d'ailleurs pour les poudres au chapitre précédent). Mais, en outre, une fois cela fait, vous confectionnerez une petite pochette de tissu de la couleur indiquée et vous y insérerez la poudre en prenant soin de bien refermer la pochette par la suite. Voilà, votre oreiller sera prêt!

Voici le mode d'emploi. Toutes les nuits, pendant sept nuits consécutives, vous dormirez la tête sur votre pochette magique, laquelle sera placée dans la taie de votre oreiller. Pendant ces sept nuits, vous bénéficierez des influences de l'oreiller que vous aurez confectionné. Ensuite, le huitième jour, vous récupérerez la poudre de votre oreiller magique et vous l'utiliserez de l'une des manières suivantes.

- La poudre sera brûlée comme encens sur une pastille de charbon. Si vous invitez votre amoureux potentiel à la maison, brûlez la poudre dans la pièce où vous devez passer du temps ensemble.

- La poudre sera saupoudrée sur vos vêtements ou sur la personne visée à son insu.
- La poudre sera saupoudrée dans votre demeure, sur votre lit ou à l'endroit fréquenté par la personne visée – mais c'est encore mieux si vous pouvez le faire directement chez cette personne.
- La poudre sera ajoutée et incorporée comme accessoire dans un rituel d'amour. Par exemple, elle sera brûlée comme encens, insérée dans une poupée magique, saupoudrée sur l'autel, etc. Les possibilités sont infinies.

APHODEX

Aphrodisiaque très populaire pour inciter et accentuer les désirs sexuels et amoureux.

Couleur

- rouge

Herbes/plantes

- œillet
- cardamome
- coriandre
- ambre gris
- musc

ARABIA

Attire l'amitié, aide les gens à vous trouver attirant et stimulant. Excellent pour les amoureux potentiels.

Couleur

- rouge

Herbes/plantes

- rose
- lilas
- huile de myrrhe

À TOUT PRIX

Puissante recette poussant les gens du sexe opposé à faire tout en leur pouvoir pour vous plaire. Favorise la romance et la sexualité romanesque.

Couleur

- rouge

Herbes/plantes

- jasmin
- patchouli
- cannelle

ATTRACTION

Pour forcer le retour de votre bien-aimé. Ce mélange pousse les gens à faire tout ce qui leur est possible pour vous plaire.

Couleur

- orange

Herbes/plantes

- fleurs d'oranger
- menthe
- musc

CŒUR DE COLOMBE

Adoucit les émotions et aide grandement à résoudre les problèmes amoureux.

Couleur

- rose

Herbes/plantes

- marjolaine
- cardamome
- vanille
- oliban
- pétales d'œillet rouge

CONQUÉRANT

Puissant mélange pour conquérir le cœur des personnes qui vous plaisent.

Couleur

- jaune

Herbes/plantes

- rose
- chèvrefeuille
- oliban
- vétiver

COURTISANE

Cette herbe vous aidera à faire en sorte que la personne aimée réponde favorablement à vos avances et veuille développer une relation d'amitié.

Couleur

- violet

Herbes/plantes

- muguet

DÉESSE DE L'AMOUR

Puissant aphrodisiaque à utiliser avec précaution: il peut faire ressortir les instincts «animaux» chez certaines personnes.

Couleur

- rose

Herbes/plantes

- rose
- huile de rose
- huile de menthe
- huile de musc

FEU DU DRAGON

Force toute personne à agir selon vos convenances et désirs amoureux.

Couleur

- rouge

Herbes/plantes

- sang-de-dragon
- oliban
- myrrhe

FORTUNA

Pour attirer l'amour et la bonne fortune dans les histoires de cœur.

Couleur

- violet

Herbes/plantes

- vanille
- patchouli
- cannelle

LONGUES NUITS

Cette combinaison d'huiles aide à soulager tous les problèmes et toutes les inhibitions sexuels. Détend et... enflamme!

Couleur

- rouge

Herbes/plantes

- jasmin
- huile d'amande

MAGNA

Puissante recette pour amener l'amour à vous, mais aussi accroître votre magnétisme sexuel.

Couleur

- bleu

Herbes/plantes

- bois de santal
- cannelle
- myrrhe
- racine d'iris

NUITS DE PLAISIRS

Puissant mélange chassant les inhibitions. Augmente aussi les plaisirs.

Couleur

- rouge

Herbes/plantes

- melon
- bois de santal
- rose

POUDRE DE FEU

Ce mélange vous rendra plus excitant aux yeux du sexe opposé. Après les sept jours, brûlez les herbes dans la pièce où vous vous retrouverez (ou le couple se retrouvera). Prenez garde: sous l'influence de ce charme, plusieurs personnes pourraient devenir jalouses et possessives.

Couleur

- rouge

Herbes/plantes

- cannelle
- chèvrefeuille
- rose
- verveine

SATYRE

Pour inciter à la passion et aux désirs sexuels ceux qui vous approchent.

Couleur

- violet

Herbes/plantes

- ambre gris
- cannelle
- civette
- valériane

PASSION, PASSION

Incite les couples à se laisser aller à la passion. Peut aussi aider à concevoir un enfant.

Couleur

- rose

Herbes/plantes

- rose
- lavande
- verveine

LES BOUTEILLES MAGIQUES

Les bouteilles magiques sont une excellente façon de pratiquer des enchantements et des sortilèges. Il est facile de s'en procurer et, par la suite, de les ranger; plusieurs bouteilles magiques peuvent même servir comme éléments de décoration et vous rappeler qu'un sortilège est à l'œuvre. C'est une façon amusante et parfois très jolie de pratiquer des rites anciens dont l'efficacité est garantie par des milliers d'années de pratique!

Attention, toutefois, car il s'agit d'une forme subtile de magie et vous devez faire votre part. La bouteille des soucis, par exemple, peut soulager vos problèmes et vous aider à y voir clair, mais elle ne peut vous empêcher de vous mettre les pieds dans les plats si vous prenez de mauvaises décisions. Il en va de même en ce qui concerne la conjuration du mauvais sort: toute la magie du monde ne pourra vous aider si vous ne changez pas votre attitude face à la vie et si vos pensées restent négatives.

Dans toute pratique de magie, il est important de se rappeler que les résultats que vous obtiendrez sont directement proportionnels à l'énergie, à la concentration et à la détermination que vous y apportez. Si vous ne croyez pas à ce que vous faites, les résultats, s'il s'en produit, seront très mitigés.

LA BOUTEILLE CONTRE LES SOUCIS

Un amour vient de se terminer et vous avez l'impression qu'il n'existe pas d'issue, que votre vie est finie. Vous ne savez plus par quel bout commencer.

Ingrédients et accessoires

- une bouteille de verre (de préférence ambrée, mais n'importe laquelle peut néanmoins faire l'affaire)

- un bouchon de liège (vous pouvez utiliser un vieux bouchon et le tailler pour qu'il bouche la bouteille)
- une bougie blanche
- une bougie noire (vous allez vous servir de la cire pour cacheter votre bouteille ou vous pouvez utiliser un vieux bout de bougie)
- une feuille de papier blanc, découpée en bandelettes de 2 po (5 cm) de largeur
- 1 pincée de basilic
- 1 pincée de clou de girofle
- 1 pincée de menthe
- 1 pincée d'aiguilles de pin, de cèdre ou de sapin (ou un mélange des trois)

Rituel

Allumez la bougie blanche et faites brûler l'encens que vous avez choisi. Réduisez vos herbes en fine poudre, détachez les aiguilles de conifères de leurs branches, en vous assurant d'en avoir suffisamment pour remplir votre bouteille (choisissez la grosseur de votre bouteille en proportion). Prenez ensuite les bandelettes de papier et inscrivez, sur chacune, un problème qui vous tracasse depuis que votre amour est terminé. Puis, versez une couche d'herbes et d'aiguilles dans le fond de la bouteille. Prenez un bout de papier, lisez-le à haute voix, pliez-le afin qu'il puisse entrer dans la bouteille et recouvrez-le de votre mélange. Procédez ainsi jusqu'à ce que tous vos problèmes soient enterrés dans les herbes.

Lorsque vous avez terminé, prononcez l'incantation suivante:

Par le pouvoir de mes herbes magiques,
Par la puissance sacrée des aiguilles de pin,
Je demande aux dieux d'effacer mes soucis et mes déceptions
Et de m'octroyer la force pour trouver les solutions
Qui résoudront tous mes soucis et toutes mes déceptions.
J'enferme mes ennuis afin qu'ils ne me dérangent plus,
Je me libère de mes problèmes pour en trouver la solution,
Je demande l'aide des dieux dans cette tâche.
Qu'il en soit ainsi.

Obstruez le goulot avec le bouchon de liège et cachetez la bouteille avec de la cire noire.

LA BOUTEILLE DE L'AMOUR

Pour attirer l'amour vers vous et pour le conserver.

Ingrédients et accessoires

- une bouteille ou un pot de verre rose
- des fleurs et des pétales de fleurs fraîches ou séchées
- des herbes (menthe, romarin, thym, écorce d'orange) séchées ou fraîches
- du miel (environ 1/4 tasse [60 ml])
- de l'alcool blanc (environ 1 tasse [250 ml] de vodka, de gin ou de rhum)
- de l'eau pour remplir la bouteille

Rituel

Remplissez votre bouteille avec les fleurs (une à une) et les herbes en pensant à l'amour, à ses plaisirs et à toutes les personnes que vous aimez. Il faut faire attention de garder ses pensées sur les plaisirs et les joies de l'amour, car ce sont elles que vous placez dans la bouteille. Mélangez ensuite l'alcool et le miel avant de verser sur les herbes et les fleurs. Puis, remplissez la bouteille d'eau et cachetez-la soigneusement avec de la cire rose.

Prenez la bouteille dans vos mains et dites:

J'ai rempli ma bouteille de pensées d'amour et d'affection.
Elles y sont maintenant pour toujours et elles attirent vers moi
L'amour et les sentiments doux afin que toujours je sois aimé.
Qu'il en soit ainsi.

Lorsque vous vous sentez mal aimé, allez vers votre bouteille et agitez-la doucement: cela activera l'enchantement.

LA BOUTEILLE GLACÉE DU DÉSIR

Il s'agit de mettre un vœu ou un souhait sur la glace afin que les forces de l'Univers vous viennent en aide pour le concrétiser.

Ingrédients et accessoires

- une bougie argent (ou bleue)
- une petite bouteille de verre
- un morceau de papier blanc (assez grand pour inscrire votre souhait, mais assez petit pour être roulé et placé dans la bouteille)
- de l'eau pour remplir la bouteille

Rituel

Allumez votre bougie et faites brûler votre encens; ce faisant, inscrivez votre désir sur la feuille de papier et insérez-le dans votre bouteille. Remplissez ensuite la bouteille d'eau aux trois quarts en prononçant l'incantation suivante:

Je confie mon vœu aux forces de l'Univers,
Je le mets sur la glace et je ne m'en préoccupe plus,
Car ce sont d'autres que moi qui me l'offriront.
Ma confiance est en eux et je les remercie.
Qu'il en soit ainsi.

Bouchez la bouteille et placez-la dans le congélateur afin que l'eau gèle. Évitez de penser à votre souhait, mais, si cela vous arrive, remerciez les forces de l'Univers et pensez à autre chose. Lorsque votre souhait se réalise, prenez la bouteille et jetez-la aux ordures, sans la dégeler ni l'ouvrir.

LA BOUTEILLE CONTRE LES PEINES D'AMOUR

Il peut arriver que l'on se sente victime du mauvais sort, que les peines d'amour se succèdent les unes aux autres. C'est le temps de fabriquer une bouteille de sorcière pour conjurer le mauvais sort! Celle-ci attirera les énergies négatives et les influences néfastes qui semblent contrôler votre vie.

Ingrédients et accessoires

- deux bougies: une blanche et une noire
- une bouteille (plus la bouteille est grosse, plus vous aurez besoin d'ingrédients pour la remplir)
- des épingles, des aiguilles, des clous, des lames de rasoir (en quantité suffisante pour remplir votre bouteille)
- du poivre noir
- du poivre de Cayenne
- des piments forts broyés
- un bouchon de liège pour boucher la bouteille
- de la cire noire pour cacheter la bouteille (un bout de bougie noire fait l'affaire)

Rituel

Allumez vos deux bougies et votre encens; remplissez votre bouteille en mettant un à un les objets comme les aiguilles, les épingles, etc. Mélangez ensuite le poivre noir et le poivre de Cayenne avec vos piments broyés, et videz le mélange dans votre bouteille par-dessus les objets qui s'y trouvent. Imaginez que chacun d'eux attire vers lui le mauvais sort et les influences négatives qui vous troublent.

Fermez la bouteille et cachetez-la soigneusement avec la cire de bougie noire, puis placez-la bien en évidence pour que chaque fois que vous la voyez, vous visualisiez les énergies négatives converger vers elle.

LA BOUTEILLE DE LA CHANCE AMOUREUSE

Pour attirer la chance amoureuse vers vous.

Ingrédients et accessoires

- sept bougies vertes
- une bouteille ou un pot de verre de couleur verte
- la représentation d'un cœur (un dessin ou une photo découpée dans un magazine)
- sept pièces de monnaie de 1, de 5 ou de 10 cents

Rituel

Allumez vos sept bougies, faites brûler votre encens, puis glissez dans votre bouteille ou votre pot votre symbole ainsi que les pièces de monnaie. Levez la bouteille vers le ciel et dites:

Dame Chance, Déesse Amour, souris-moi,
Laisse ton souffle entrer dans ma bouteille
Afin que partout l'amour soit avec moi.
Qu'il en soit ainsi.

Fermez la bouteille promptement et cachetez-la avec de la cire verte. Tous les jours, avant de sortir, agitez-la pour que la chance vous accompagne.

LES BOULES DE CIRE ENCHANTÉES

Il s'agit d'un moyen très simple d'imprégner une pièce de votre sortilège. Pour cela, il suffit de déposer une petite boule de cire enchantée dans un coin caché ou... dans un bol à la vue de tous. Les émanations provenant de la cire imprégneront aussitôt l'atmosphère de votre sortilège, qu'il s'agisse d'amour, de protection, de purification ou de quoi que ce soit d'autre. La durée de l'enchantement est de sept jours. Après cette période, vous devez récupérer la boule et l'enterrer (ou la jeter dans la cuvette de la toilette et tirer la chasse d'eau). Vous pouvez en placer une autre au même endroit pour maintenir le sortilège.

Vous pouvez fabriquer de nombreuses boules avec la cire d'une seule bougie. Vous n'avez qu'à les conserver dans un récipient qui ferme hermétiquement et vous en servir une à la fois. Le sortilège ne sera actif qu'une fois que les boules seront à l'air libre.

MODE D'EMPLOI

Allumez votre bougie et l'encens approprié, mais n'oubliez pas que la bougie que vous faites brûler doit être de la même couleur que celle que vous ferez fondre. Préparez ensuite vos herbes en les réduisant en fine poudre et mettez-les de côté.

Faites alors fondre une ou plusieurs bougies de couleur dans un bain-marie, tout en surveillant bien la consistance de la cire, puis retirez du feu dès que vous sentez qu'elle est malléable (attention à ne pas vous brûler!).

Ensuite, avec une cuillère, prenez une petite quantité de cire, juste assez pour en faire une boule de la grosseur d'une noix de Grenoble, faites un petit trou dans la boule et placez-y deux ou trois pincées de votre mélange d'herbes. Refermez le trou en mélangeant les herbes dans la cire molle tout en répétant l'invocation appropriée. Placez enfin vos boules dans un plat ou un pot qui ferme hermétiquement.

Pour activer le sortilège, il suffit de placer une boule de cire à l'air libre, et le tour est joué. Rien de plus simple! La durée active du sortilège alors créé est de sept jours; à la fin de cette période, retirez la boule de cire et enterrez-la.

POUR CONTRÔLER UNE SITUATION

Ce sortilège vous permet de contrôler les événements.

Bougie

- rouge

Encens

- voir la liste à la page 24

Herbes

- poivre de Cayenne
- poivre noir

Invocation

Que ma volonté soit faite en tout bien tout honneur,
Que mon autorité fasse loi pour le plus grand bien.

POUR SÉDUIRE UN PARTENAIRE

Ce sortilège vous permet de séduire la personne qui fait battre votre cœur.

Bougie

- jaune

Encens

- voir la liste à la page 24

Herbes

- gingembre
- aiguilles de pin ou de sapin
- cannelle

Invocation

> *Que* (dites le nom) *accompagne mes pas,*
> *Qu'il soit à mes côtés*
> *En tout temps, à tout instant.*
> *Qu'il en soit ainsi.*

POUR VOUS RENDRE LA VIE PLUS FACILE

Ce sortilège vous permet de vous rendre la vie facile.

Bougie

- violette

Encens

- voir la liste à la page 24

Herbes

- lavande
- millepertuis
- romarin

Invocation

> *Que la vie me soit douce,*
> *Que les difficultés s'éloignent,*
> *Que les obstacles disparaissent*
> *Et que la fortune et l'amour soient avec moi.*

POUR ATTIRER L'AMOUR

Ce sortilège vous permet d'attirer vers vous un nouvel amour.

Bougie

- rose

Encens

- voir la liste à la page 24

Herbes

- rose
- lavande

Invocation

> *Que l'amour fleurisse près de moi,*
> *Pour moi.*
> *Que je baigne dans sa fragrance pour toujours.*
> *Qu'il en soit ainsi.*

POUR ÉLOIGNER LES JALOUSIES

Ce sortilège vous permet de bannir et d'éloigner toutes les personnes jalouses autour de vous.

Bougie

- rouge

Encens

- voir la liste à la page 24

Herbe

- verveine

Autre

- sel

Invocation

> *Que les langues malicieuses s'éloignent,*
> *Elles n'ont plus de place ici,*
> *Qu'elles retournent d'où elles proviennent,*
> *Je n'en veux plus ici.*
> *Qu'il en soit ainsi.*

POUR SOULAGER DES PEINES D'AMOUR

Ce sortilège vous permet de soulager les peines d'amour et de vous faire oublier.

Bougie

- verte

Encens

- voir la liste à la page 24

Herbes

- amandes réduites en poudre
- écorces de citron
- clou de girofle

Invocation

Que la douleur et la maladie s'éloignent, que la guérison s'installe.

POUR CONNAÎTRE LA PAIX ET L'HARMONIE DANS LE COUPLE

Ce sortilège vous permet de créer un climat d'harmonie entre deux personnes.

Bougie

- blanche

Encens

- voir la liste à la page 24

Herbes

- sauge
- aiguilles de pin ou de sapin
- cèdre

Invocation

Que la paix et l'harmonie règnent sans fin,
Que la joie et la douceur habitent ce couple:
(dites les deux noms).
Qu'il en soit ainsi.

POUR ATTIRER LES FAVEURS SEXUELLES

Ce sortilège vous permet d'attirer une personne pour faire l'amour.

Bougie

- rouge

Encens

- voir la liste à la page 24

Herbes

- pétales de rose rouge
- graines de sésame
- huile essentielle de jasmin (quelques gouttes)

Invocation

Viens à moi, toi que je désire, viens à moi sur les ailes du désir.

LES CARRÉS MAGIQUES D'AMOUR

Les carrés magiques se comparent facilement aux talismans que les sorciers et les sorcières utilisent couramment. Contrairement à un talisman que vous auriez créé, leurs symbolismes proviennent d'un passé beaucoup plus lointain, généralement du Moyen Âge – la force (ou l'énergie) qu'ils dégagent est donc, en ce sens, encore plus mystique. Le moyen d'acquérir la clé du succès dans ce domaine repose entièrement sur la façon dont vous allez charger ces carrés magiques, c'est-à-dire la manière dont vous imprégnerez ces symboles avec votre propre force.

Pour commencer, vous créez un espace de travail – votre cercle magique – dédié à l'œuvre que vous vous apprêtez à faire. Comme vous n'aurez besoin d'aucune entité pour ce travail, tracez un cercle simple. Par la suite, purifiez-le comme vous êtes habitué de le faire. Vous pouvez utiliser des bougies blanches que vous disposerez aux quatre points cardinaux – et sur votre autel si vous en ressentez le besoin. Allumez un encens d'amour (un de ceux qui vous sont proposés à la page 24), car vous allez en avoir grand besoin.

Asseyez-vous face à l'est et détendez-vous. Mentalisez votre désir, comme s'il était déjà réalisé (voyez-vous dans les bras de l'autre personne, par exemple), de façon très intense pendant environ une dizaine de minutes. Puis, prenez votre matériel et transcrivez le carré magique en suivant la méthode prescrite qui lui correspond.

POUR TRACER VOTRE CARRÉ

Pour tracer votre carré et lui donner vie, commencez par la première lettre en haut à gauche, continuez vers la droite, puis faites de même pour la ligne suivante, et ainsi de suite. Pendant tout le temps que vous prendrez pour transcrire le carré, visualisez votre désir. Prononcez à voix haute chaque lettre que vous tracez. Quand le carré est terminé, dites:

Cela est fait, reçois maintenant la vie!

Il est maintenant temps de donner la vie à votre carré magique. Il est vrai que le symbole que forment les lettres est puissant en lui-même. Toutefois, en suivant la technique suivante, vous en décuplerez sa puissance suggestive.

Placez le carré au centre de l'autel (ou de votre espace de travail). Fermez les yeux et visualisez encore une fois votre désir le plus intensément possible. Sentez l'énergie de votre désir devenir de plus en plus tangible. Ressentez sa chaleur monter en vous. Visualisez l'énergie s'étendre en dehors de votre corps, comme si vous étiez entouré d'une aura de puissance. Ensuite, dirigez cette énergie dans vos mains. Compressez-la. Maintenant, tout en gardant votre désir en tête, étendez vos mains au-dessus du carré magique et projetez-y toute cette énergie en un éclair. Dites ensuite:

Objet de pouvoir, désirs réalisés!
Qu'il en soit ainsi, car telle est ma volonté!

AU SUJET DES ENTITÉS

Il est vrai que certains rituels, bons ou maléfiques, attirent de temps à autre des entités, parfois errantes, parfois intimement reliées au rituel même. Cependant, n'ayez aucune crainte car même si cela devait se produire, aucun mal ne peut vous être fait. Dans le pire des cas, une certaine perte d'énergie personnelle peut être observée – mais il ne faut pas avoir peur de perdre pour gagner quelque chose par la suite!

Pour vous familiariser avec ce qui vient d'être dit, voici un fait qui a été expérimenté par un magicien d'ici (non, non, on ne vous dira pas lequel de nous!) grâce au concours d'un médium. Après avoir conçu un curieux carré magique d'amour, ce magicien le mit autour de son cou pour une période d'un cycle lunaire complet. Chaque fois qu'il portait ce carré magique, il ressentait une légère faiblesse dans son bras droit; n'étant guère plus affecté, il décida de poursuivre le charme. Au bout de quelques jours, le médium (un proche du magicien) lui fit part d'un rêve étrange à son sujet: il avait vu le magicien suivi dans sa maison par une entité verdâtre qui ne semblait ni agressive ni malveillante. Quand le cycle lunaire fut complété et le charme détruit, on n'entendit plus parler de cette entité, ni en songe ni par clairvoyance. On en conclut donc que le magicien, par l'utilisation du charme, avait invoqué indirectement une entité qui le suivait de façon à rendre active la force suggestive du carré magique. Autrement dit, elle aida le magicien dans ce charme, lequel fut un grand succès. Quand il le *retourna à la terre*, l'entité repartit dans sa sphère d'origine.

Car, de fait, lorsque votre carré magique aura accompli sa tâche, vous le retournerez à la terre. Vous irez l'enterrer à un endroit où nul ne pourra le trouver. De cette façon, la charge deviendra inopérante: toutes les entités emprisonnées par le charme seront dès lors libérées.

POUR SE FAIRE AIMER D'UN HOMME

Q	E	B	H	I	R
E	R	A	I	S	A
B	A	Q	O	L	I
H	I	O	L	I	A
I	S	L	I	A	C
R	A	I	A	C	A

En utilisant une aiguille stérilisée, piquez votre pouce droit de façon qu'il coule suffisamment de sang pour vous permettre de transcrire le carré magique sur une feuille de papier blanc (que vous aurez préalablement découpée en forme de cœur). Parfumez le papier avec du jasmin. Insérez le carré magique dans une enveloppe et postez-la discrètement à l'homme de vos désirs.

POUR SE FAIRE AIMER D'UNE FEMME

E	F	E	H	A
F				L
E				Q
H				A
A	L	Q	A	S

En utilisant une aiguille stérilisée, piquez votre pouce droit de façon qu'il coule suffisamment de sang pour vous permettre de transcrire le carré magique sur une feuille de papier blanc (que vous aurez préalablement découpée en forme de cœur). Parfumez le papier avec de la rose. Insérez le carré magique dans une enveloppe et postez-la discrètement à la femme de vos désirs.

POUR REHAUSSER L'AMOUR DU PARTENAIRE

D	O	D	I	M
O				I
D				D
I				O
M	I	D	O	D

Gravez ce carré magique sur une plaquette de cuivre au jour et à l'heure de Vénus (voir le calendrier des heures planétaires, à la page 37). Quand le moment sera propice, lors d'une lune croissante, touchez une partie nue de votre partenaire avec ce carré.

POUR OBTENIR L'AMOUR D'UN VEUF OU D'UNE VEUVE

E	L	E	M
L			E
E			L
M	E	L	E

En utilisant une aiguille stérilisée, piquez votre pouce droit de façon qu'il coule suffisamment de sang pour vous permettre de transcrire le carré magique sur une feuille de papier blanc (que vous aurez préalablement découpée en forme de cœur). Insérez le carré magique dans une enveloppe et postez-la discrètement à la personne de vos désirs.

POUR VOUS FAIRE AIMER D'UN PROCHE OU D'UNE CONNAISSANCE

M	O	D	A	H
O	K	O	R	A
D	O		O	D
A	R	O	K	O
H	A	D	O	M

En utilisant une aiguille stérilisée, piquez votre pouce droit de façon qu'il coule suffisamment de sang pour vous permettre de transcrire le carré magique sur une feuille de papier blanc. Écrivez le nom de la personne derrière et prononcez-le neuf fois à haute voix. Portez ce charme sur vous en tout temps.

POUR OBTENIR L'AMOUR PLATONIQUE D'UN AMI

I	A	L	D	A	H
A	Q	O	R	I	A
L	O	Q	I	R	F
D	R	I	I	D	E
A	I	R	D	R	O
H	A	F	E	O	N

En utilisant une aiguille stérilisée, piquez votre pouce droit de façon qu'il coule suffisamment de sang pour vous permettre de transcrire le carré magique sur une feuille de papier blanc. Écrivez le nom de la personne derrière et prononcez-le neuf fois à haute voix. Portez ce charme autour de votre cou avec une ficelle blanche.

POUR CONNAÎTRE LES SECRETS DE L'AMOUR

C	E	D	I	D	A	H
E						A
D						D
I						I
D						D
A						E
H	A	D	I	D	E	C

À la pleine lune, piquez votre pouce droit de façon qu'il coule suffisamment de sang pour vous permettre de transcrire le carré magique sur une feuille de papier blanc. Après avoir chargé le carré, concentrez-vous pendant au moins 30 minutes sur la question pour laquelle vous désirez obtenir une réponse. Ensuite, enduisez-le d'une goutte d'huile de rose et déposez-le sous votre oreiller. La réponse vous viendra en rêve.

RITUELS AVEC DES HERBES

AGRIMOINE

AMULETTE CONTRE LES PEINES D'AMOUR

Ingrédients et accessoires

- de l'agrimoine
- une bougie
- un encens d'amour
- un petit sac de tissu noir ou blanc

Rituel

Allumez une bougie de couleur appropriée et faites brûler l'encens. Remplissez un petit sac de tissu noir ou blanc d'agrimoine. Portez-le autour de votre cou, sous vos vêtements, lorsque vous sortez de la maison. Cette amulette devrait vous permettre d'éviter les peines d'amour.

AUBÉPINE

OREILLER DE FERTILITÉ

Ingrédients et accessoires

- trois bougies : une rose, une rouge et une blanche
- un petit sac de coton rose ou rouge
- des boules de ouate
- de l'huile essentielle d'aubépine

Rituel

Faites brûler l'encens de votre choix. Allumez d'abord la bougie rose, qui symbolise l'amour pour votre conjoint; puis la rouge, qui représente la passion qui vous unit; enfin la blanche, qui symbolise la nouvelle vie que vous désirez concevoir. Prenez quelques instants entre chaque bougie pour vraiment ressentir toutes les phases: l'amour, la passion et la conception.

Versez ensuite une ou deux gouttes d'huile sur chacune des boules de ouate avant de les insérer dans votre oreiller.

Puis, refermez l'oreiller et tenez-le au bout de vos bras, vers le ciel, en prononçant cette invocation aux déesses de la fertilité:

Je vous invoque, déesses de la fertilité,
Brigid, Déméter, Vénus, Aphrodite, Héra, Junon
Et toutes les autres dont la tâche est d'aider la conception.
Je désire un enfant qui soit béni des dieux
Qui symbolise l'amour que je partage avec mon conjoint
Afin que notre union soit complète et fertile.
J'en appelle à vous, déesses dont la puissance est éternelle,
Accordez-moi ce désir.

Portez ce sac autour de vos reins pour le reste de la soirée et, chaque fois que vous faites l'amour avec votre conjoint, placez-le sous vos reins.

BAUME DE GILEAD

POUR GUÉRIR UNE PEINE D'AMOUR

Ingrédients et accessoires

- quelques bourgeons de baume de Gilead

Rituel

Gardez les bourgeons de baume de Gilead dans vos poches (ou dans votre sac à main) pendant une semaine, puis enterrez-les en disant:

Amours mortes, je vous enterre.
Vous êtes décédées et je vivrai sans vous.
Je donne mes larmes en sacrifice aux dieux
Afin qu'ils soulagent mon tourment.

BOIS DE SANTAL

POUR EXAUCER UN VŒU

Ingrédients et accessoires

- une bougie blanche
- un bout de papier blanc
- un crayon rouge
- de l'encens de bois de santal

Rituel

Allumez votre bougie, puis inscrivez votre vœu sur un bout de papier blanc avec le crayon rouge. Piquez le bout de votre doigt avec une petite aiguille (chauffez-la sous une flamme pendant quelques secondes pour la stériliser) et laissez couler une goutte de sang sur le papier.

Allumez votre encens de bois de santal, puis faites brûler le papier sur lequel vous avez écrit votre vœu et visualisez votre souhait comme s'il se concrétisait.

Remerciez ensuite les dieux et les esprits de leur aide.

CERISE

SORTILÈGE POUR ATTIRER UN PARTENAIRE

Ingrédients et accessoires

- autant de noyaux de cerise que votre âge
- une cordelette rouge (ou un brin de laine)
- une bougie rose
- de l'encens de cerise

Rituel

Ramassez autant de noyaux de cerise que votre âge. D'abord, faites un trou au milieu de chacun d'eux. Mettez-les de côté jusqu'à la nouvelle lune. Le moment venu, à la lueur d'une bougie rose et en faisant brûler de l'encens de cerise, enfilez vos noyaux sur une corde rouge ou rose et nouez celle-ci autour de votre genou gauche. Dormez avec cette corde autour du genou pendant 14 nuits consécutives et enlevez-la chaque matin pour la placer sous votre oreiller.

Vous devriez trouver un partenaire dans les 30 jours qui suivent ce sortilège.

CORIANDRE

INFUSION AMOUREUSE

Ingrédients et accessoires

- 2 c. à thé (10 ml) de feuilles de coriandre séchées
- 1 tasse (250 ml) d'eau de source
- une bougie rose

Rituel

Allumez une bougie rose et faites brûler de l'encens; faites ensuite infuser la coriandre dans 1 tasse (250 ml) d'eau de source et laissez macérer pendant une quinzaine de minutes. Tout en buvant, visualisez le genre de personne avec qui vous aimeriez partager votre vie.

JACINTHE

RITUEL POUR CONSERVER SON AMOUREUX

Ingrédients et accessoires

- une bougie rose
- de l'encens
- des fleurs de jacinthe séchées ou fraîches
- un petit sac de soie rose
- un petit quartz rose
- un ruban rose pour fermer le sac

Rituel

Allumez votre bougie et faites brûler l'encens. Placez ensuite les fleurs de jacinthe dans le sac avec le quartz rose, puis nouez-le avec votre ruban en disant:

Apollon, toi qui règnes sur les jacinthes en fleurs,
Fais qu'elles représentent mon bien-aimé
Et qu'à l'instar de ce sac noué,
Je garde en moi son amour sans peur.
Qu'il ne me soit volé.

Gardez précieusement ce sac dans un endroit secret.

JASMIN

RITUEL POUR ATTIRER VOTRE ÂME SŒUR

Malgré sa réputation aphrodisiaque, le jasmin n'attire pas vers vous un amour passionnel. Son pouvoir réside surtout dans sa capacité d'attirer vers vous votre âme sœur, celle qui représente votre partie manquante, qui vous complète. Mais attention, trouver son âme sœur ne garantit pas le bonheur.

Ingrédients et accessoires

- une bougie blanche
- une coupe remplie d'eau de source
- un petit bol de sel
- des fleurs de jasmin (facultatif)

Rituel

Allumez votre bougie et faites brûler l'encens. Recueillez-vous et méditez plusieurs minutes sur la signification qu'a pour vous la recherche de l'âme sœur. Soyez certain que c'est ce que vous voulez et débarrassez-vous de vos idées préconçues, car, comme nous l'avons dit, rien ne garantit que votre âme sœur corresponde à vos attentes.

Tournez-vous ensuite vers le nord en tenant le sel dans vos mains et en prononçant ces mots:

Avec le sel, je demande l'aide de la Terre
Afin de trouver celui qui me complète.

Maintenant, prenez le bol d'eau en vous tournant vers l'est et dites:

Avec l'eau du ciel et des rivières, je demande l'aide de cet élément
Afin de trouver celui qui doit voguer avec moi dans l'océan de la vie.

Prenez ensuite la bougie et tournez-vous vers le sud en disant:

Avec le feu sacré, je demande l'aide du feu
Afin de trouver celui dont l'âme brûle du même feu.

Prenez enfin l'encens et tournez-vous vers l'ouest en disant:

Avec de l'air parfumé, je demande à cet élément
De m'aider à découvrir mon âme sœur qui me complète parfaitement.

Laissez brûler la bougie et l'encens, et méditez de 15 à 30 minutes.

MAGNOLIA

TALISMAN POUR ASSURER LA FIDÉLITÉ DE SON CONJOINT

Ingrédients et accessoires

- une bougie rose
- une rose jaune ou thé (aux pétales roses et jaunes)
- de l'huile essentielle de magnolia
- un carré de soie blanche
- du ruban rose
- une aiguille stérile

Rituel

Allumez votre bougie et faites brûler l'encens. Détachez les pétales de la rose jaune ou thé et enduisez-les soigneusement d'une goutte d'huile essentielle de magnolia. Inscrivez les initiales de votre partenaire amoureux et les vôtres avec une ou deux gouttes de votre sang sur la soie blanche, puis déposez-y les pétales enduits d'huile essentielle de magnolia. Nouez les coins de votre carré de soie avec le ruban en disant:

Ton nom et le mien sont liés pour l'éternité,
Notre amour grandit de jour en jour.
Par la puissance de ces parfums, ton âme et la mienne sont liées
Afin que notre amour dure pour l'éternité.

Placez ce talisman sous votre matelas du côté où votre conjoint dort.

MARGUERITE

SORTILÈGE POUR QUE REVIENNE UN AMOUREUX

Si vous avez perdu un amoureux et que vous l'aimez encore, il peut revenir vers vous à la seule condition que vos intentions soient pures et bonnes.

Ingrédients et accessoires

- deux bougies blanches à la forme humaine: une représentant une femme et l'autre un homme (vous pouvez facilement vous en procurer dans les magasins ésotériques)
- une racine de marguerite, que vous aurez vous-même cueillie (fraîche ou séchée)

Rituel

Faites brûler l'encens. À l'aide d'une aiguille, inscrivez vos initiales sur l'une des bougies et celles de votre amoureux sur l'autre, puis allumez-les. Réchauffez doucement la racine de marguerite au-dessus de chacune des bougies en faisant attention de ne pas la brûler. Passez trois fois la racine au-dessus de la fumée d'encens en disant chaque fois:

Vénus, toi qui règnes sur nos amours,
Fais que mon bien-aimé me revienne.
Je suis triste et perdu sans sa présence,
Fais qu'il entende mon appel et revienne.

Placez la racine sous votre oreiller et laissez-la à cet endroit pendant une semaine.

MUSCADE

SORTILÈGE POUR ASSURER LA FIDÉLITÉ DE SON CONJOINT

Ingrédients et accessoires

- une bougie blanche
- une noix de muscade

Rituel

Ce rituel doit être pratiqué à l'extérieur.

Prenez une noix de muscade et coupez-la en quatre morceaux égaux.

Allumez votre encens, passez une partie de la noix de muscade au-dessus de la fumée à trois reprises, puis tournez-vous vers l'est et répétez l'incantation suivante:

Ô vous, les Élémentaux et Esprits de l'est,
Je vous demande de prendre cette noix en gage
De l'amour qui existe entre mon conjoint et moi.

Lancez votre morceau de noix dans les airs. Allumez maintenant votre bougie et passez un autre morceau trois fois autour de la flamme, puis tournez-vous vers le sud et dites:

Ô vous, les Élémentaux et Esprits du sud,
Je vous demande de prendre cette noix en gage
De l'amour qui existe entre mon conjoint et moi.

Faites ensuite brûler le morceau de noix dans un plat en métal et dispersez-en les cendres. Placez maintenant le troisième morceau de noix dans votre coupe d'eau et tournez-vous vers l'ouest en disant:

Ô vous, les Élémentaux et Esprits de l'ouest,
Je vous demande de prendre cette noix en gage
De l'amour qui existe entre mon conjoint et moi.

Allez ensuite jeter le morceau de noix dans la cuvette de la toilette, avant de tirer la chasse d'eau. Placez maintenant votre dernier morceau de noix dans le bol contenant le sel, tournez-vous vers le nord et dites:

Ô vous, les Élémentaux et Esprits du nord,
Je vous demande de prendre cette noix en gage
De l'amour qui existe entre mon conjoint et moi.

Prenez votre dernier morceau de noix de muscade et enterrez-le dans votre jardin ou dans le pot d'une plante. Les éléments veilleront maintenant sur la fidélité de votre amour.

PENSÉE

RITUEL POUR CONNAÎTRE VOTRE PROCHAIN AMOUREUX

Ingrédients et accessoires

- une bougie mauve
- quelques pensées fraîchement cueillies
- un bol de verre ou de cristal rempli d'eau

Rituel

Allumez votre bougie et faites brûler l'encens. Placez le bol d'eau près de la bougie. Éteignez toutes les autres lumières dans la pièce et revenez vous asseoir près du bol et de la bougie. Prenez les fleurs et faites-les flotter à la surface de l'eau. Tournez trois fois votre bol, dans le sens des aiguilles d'une montre, en disant:

J'en appelle à toi, Vénus, reine de l'amour,
Toi qui connais le cœur des hommes et la destinée,
Montre-moi qui sera mon amour.
Permets que je déchire le voile qui obscurcit ma destinée
Afin que je puisse regarder et voir qui sera mon amour.

Concentrez-vous maintenant sur l'eau et les fleurs qui flottent à sa surface. Patientez, et vous verrez apparaître la figure de votre amoureux.

POMME

POMME DE LA RÉCONCILIATION

Ingrédients et accessoires

- une bougie rouge
- une grosse pomme rouge
- du miel
- un petit morceau de papier blanc
- assez de ruban rouge pour entourer trois fois la pomme

Rituel

Allumez votre bougie et l'encens, puis inscrivez votre nom et celui de la personne avec laquelle vous désirez vous réconcilier. Évidez soigneusement la pomme tout en faisant bien attention de ne pas en percer le fond et conservez le dessus pour la refermer. Placez votre morceau de papier dans le fond et remplissez la cavité avec du miel. Refermez la pomme et entourez-la trois fois de votre ruban en disant :

J'ai inscrit nos noms sur le papier,
Ton cœur et le mien sont maintenant alliés.

Enterrez la pomme dans le jardin.

VALÉRIANE

RITUEL POUR GUÉRIR UN CŒUR BRISÉ

Pour cesser de pleurer quand votre amour vous a laissé et pour vous permettre d'aller de l'avant.

Ingrédients et accessoires

- deux bougies : une noire et une blanche
- une pastille de charbon de bois
- un plat où vous pouvez brûler des herbes
- 2 pincées de valériane
- 2 pincées de baume de Gilead
- 2 pincées de cèdre
- une photo de votre *ex* (ou un morceau de papier sur lequel vous inscrivez son nom)

Rituel

Allumez la bougie noire et l'encens, puis allumez un charbon de bois dans votre plat et faites-y brûler une pincée de chacune des herbes. Prenez la photo ou le morceau de papier et faites prendre un coin en feu, laissez tomber dans le plat et versez-y l'autre pincée des herbes en disant:

Nos amours sont mortes, qu'il en soit ainsi.
De mon cœur je t'extirpe, tu n'existes plus.
Je t'ai pleuré, maintenant c'est fini.
De mon cœur je t'extirpe, notre amour n'est plus.

Répétez trois fois et laissez les herbes et le papier se consumer complètement. Puis, allumez la bougie blanche en symbole de renouveau.

RITUELS AVEC DES PIERRES

Le premier principe à connaître pour recevoir des effets bénéfiques d'une pierre consiste d'abord à y croire. En effet, vous devez y mettre suffisamment de sérieux pour que l'énergie de la pensée intention se joigne à l'énergie de votre minéral. Il vous faut d'abord visualiser le résultat escompté: plus vous serez spécifique dans votre demande, plus votre pierre agira efficacement. N'oubliez pas que votre pensée est créatrice; il vous appartient de l'orienter selon l'énergie propre à votre minéral pour obtenir les résultats escomptés. Les minéraux ne remplacent certes pas le médecin, mais ils peuvent apporter un soutien efficace dans l'atteinte de vos objectifs.

Voici donc différentes façons d'utiliser une pierre.

LE CONTACT DIRECT

Vous pouvez d'abord simplement tenir la pierre au creux de la main et laisser son énergie vous pénétrer. Le contact direct avec cette pierre peut être considéré comme une forme de toucher thérapeutique. En la caressant, vous découvrirez les impressions qu'elle suscite en vous.

LA POCHETTE (ou le sachet)

Vous pouvez également porter la pierre sur vous dans une petite pochette protectrice afin d'éviter qu'elle entre en contact avec d'autres objets qui pourraient être chargés d'une énergie négative.

LES BIJOUX

Les cristaux, les pierres ou les gemmes font aussi de ravissants bijoux, tels des pendentifs, à porter en contact direct avec la peau ou montés en bague, en broche, en boucles d'oreilles. Nombreuses déjà sont les personnes à bénéficier des effets bénéfiques de leur pierre du mois. Celles-ci sont effectivement conseillées, puisqu'elles sont en harmonie avec les caractéristiques individuelles de chaque signe du zodiaque.

AIGUE-MARINE

POUR ATTIRER LA PROSPÉRITÉ OU TROUVER L'AMOUR

Accessoires et ingrédients

- une bougie rouge ou argent dans une soucoupe
- un bâtonnet d'encens
- des graines de citrouille
- une coupe
- du champagne ou du vin mousseux
- une aigue-marine
- une feuille blanche et un crayon

Rituel

Allumez la bougie et le bâtonnet d'encens. Dans une coupe vide, déposez une aigue-marine. Versez du champagne (ou du vin mousseux) jusqu'aux trois quarts du verre. Ajoutez-y les graines de citrouille.

Sur la feuille blanche, écrivez votre souhait avec tous les détails nécessaires. À voix haute, lisez ce que vous avez inscrit à trois reprises. Sitôt que la bougie achève de se consumer, buvez le contenu de votre coupe après y avoir enlevé l'aigue-marine. Avant de souffler la bougie, brûlez le papier sur lequel est inscrit votre souhait. Séchez votre aigue-marine et rangez-la précieusement.

AVENTURINE

POUR SUSCITER LA PASSION

Susciter la passion, pour les gens timides, rougissants et introvertis, relève presque du miracle. Si vous êtes de ceux-là, essayez la magie blanche pour gagner le cœur de la personne qui hante vos pensées.

Accessoires et ingrédients

- quelques mèches de cheveux de la personne convoitée (ou si c'est impossible, une photo ou une image qui la représente ou la symbolise)
- quelques mèches de vos cheveux

- deux morceaux semblables de tissu rouge feu, découpés en forme de cœur
- de la verveine séchée
- une aventurine
- une aiguille

Rituel

Cousez les deux morceaux de tissu mais avant de refermer le cœur, mettez-y vos mèches de cheveux et les siens (ou ce qui les remplace), la verveine séchée et l'aventurine. Fermez. Prenez une aiguille et piquez-la au centre de votre cœur. Posez celui-ci sur le rebord d'une fenêtre pendant trois jours et trois nuits. Ôtez l'aiguille et conservez ce sachet d'amour sous votre oreiller jusqu'à ce que la personne aimée se manifeste.

CHRYSOPRASE

POUR RAMENER L'HARMONIE

Offrez-vous ce rituel pour rétablir la paix dans votre couple, au sein de votre famille ou si vous êtes en brouille avec un ami.

Accessoires et ingrédients

- un lacet de cuir
- quelques branches de cèdre
- un morceau de tissu bleu ciel
- un porte-bâtonnet
- de l'encens au parfum de cèdre
- trois clous de girofle
- une chrysoprase

Rituel

Un jeudi, installez-vous dans votre salon, allumez votre bâtonnet d'encens et méditez quelques minutes sur la raison qui vous a poussé à entreprendre ce rituel. Ensuite, prenez votre carré de tissu bleu, déposez-y les branches de cèdre, les clous de girofle et la chrysoprase. Jetez sur le tout un peu de poudre d'encens. Fermez le carré et nouez-le avec le lacet de cuir. Tenez-le au-dessus des volutes d'encens en prononçant trois fois la phrase suivante:

Ô toi, Jupiter, dieu du ciel et de la terre,
Et toi, Sachiel, ange du jeudi,
Veillez, je vous en prie,
À ce que soient rétablies
La paix et l'harmonie
Qui ont été troublées et obscurcies
À cause de malentendus
Ou de (donnez la raison).
Ainsi soit-il.

Gardez votre sachet noué sur vous jusqu'à ce que soit résolu le désaccord.

CORAIL

POUR ATTIRER L'AMOUR

Accessoires et ingrédients

- une bougie rouge
- un petit sac de tissu rouge ou rose
- une herbe ou une fleur symbolisant l'amour (rose, lavande, etc.)
- un morceau de corail rose ou rouge
- une mèche de vos cheveux
- un morceau de racine de mandragore ou d'iris

Rituel

Dans le petit sac de tissu, déposez l'herbe ou la fleur d'amour, le corail, la mèche de cheveux et la racine. Allumez la bougie et consacrez votre gris-gris en élevant votre petit sac vers le ciel et en disant:

Je consacre ce talisman
Aux quatre éléments:
La terre, le feu, l'eau et l'air.
C'est maintenant un outil magique
Qui servira son porteur
En tout bien tout honneur
Et lui permettra de trouver
L'amour de sa vie.
Ainsi soit-il.

Ce talisman doit être conservé dans un endroit connu seulement de son propriétaire; de plus, il ne peut être ni prêté, ni exposé, ni ouvert sans quoi il perdra tous ses pouvoirs. Pour bénéficier de ses bienfaits, portez-le sur vous le plus souvent possible et dormez avec lui.

CUIVRE

RITUEL POUR SÉDUIRE

Accessoires et ingrédients

- une bougie rose ou rouge
- un bout de fil de cuivre
- des épingles droites

Rituel

Idéalement, ce rituel doit être commencé dans la nuit du jeudi au vendredi, peu avant minuit. À l'aide de votre fil de cuivre, sur votre bougie, tracez le prénom et le nom de la personne que vous désirez séduire. Plantez-y autant d'épingles qu'il y a de lettres dans son prénom et son nom. À minuit, allumez la bougie en prononçant l'incantation suivante:

Esprit de Vénus,
Je vous conjure,
De consumer le cœur de
(prononcez le prénom et le nom de la personne visée)
Comme cette bougie qui se consume
En votre honneur et pour votre satisfaction.
Qu'il en soit ainsi!

Dès qu'une épingle tombe, éteignez la bougie. Chaque soir, avant minuit, faites brûler la bougie en prononçant la même incantation jusqu'à ce que tombe une épingle. La personne devrait succomber à votre charme avant que toutes les épingles soient tombées.

DIAMANT

POUR SUSCITER LA PASSION

Accessoires et ingrédients

- de l'eau
- un flacon de verre
- un diamant ou un bijou orné d'un diamant
- une boisson

Rituel

Dans un flacon d'eau translucide, mettez à tremper un diamant ou un bijou orné d'un diamant (même s'il s'agit d'un tout petit éclat monté sur l'or). Pendant trois jours, exposez ce flacon aux rayons du soleil. Une fois que votre eau sera chargée, retirez le bijou et mélangez l'eau à une boisson que vous servirez à la personne dont vous aimeriez susciter la passion.

ÉMERAUDE

POUR RENDRE FIDÈLE UN AMOUREUX

Accessoires et ingrédients

- une bougie verte
- un bâtonnet d'encens de rose ou de jasmin
- un sac de soie ou de satin vert
- une émeraude
- un petit carton rose
- un crayon-feutre rouge
- des pétales de rose

Rituel

Un soir de pleine lune, allumez votre bâtonnet d'encens et votre bougie. Sur le morceau de carton, dessinez un large cœur avec votre crayon-feutre rouge. À l'intérieur, tracez votre nom et celui de la personne aimée. Aux quatre coins du carton, tracez le chiffre 7. Déposez ce carton dans le sac avec l'émeraude et les pétales de rose. Nouez avec un cordon rouge. Prenez ensuite le sachet et faites-le passer dans les volutes d'encens en prononçant l'incantation suivante:

J'invoque les forces de Vénus
Et la puissance de l'émeraude
Pour qu'à jamais me soit fidèle
(prononcez le nom de la personne)
Et pour que la lumière de l'amour
Nous éclaire pour toujours.
Ainsi soit-il.

Soufflez la bougie et placez ce petit sac sur le rebord d'une fenêtre durant un mois pour qu'il reçoive à la fois la lumière du soleil et celle de la lune. Conservez ce sac dans un endroit connu de vous seul.

ESCARBOUCLE

POUR SÉDUIRE UN PARTENAIRE

Accessoires et ingrédients

- une boisson de votre choix
- une escarboucle
- quelques gouttes de votre sang

Rituel

Voici un rituel simple pour ceux qui ont de l'audace et qui n'ont pas froid aux yeux. Dans la boisson choisie, laissez couler quelques gouttes de votre sang et faites-y macérer l'escarboucle pendant 12 heures. Filtrez et offrez-en à la personne convoitée. Essayez ce rituel avec du vin ou un digestif à saveur de café.

GRENAT

POUR ÊTRE AIMÉ D'UNE PERSONNE INDIFFÉRENTE

Accessoires et ingrédients

- la photo ou le dessin d'un oiseau rapace
- la photo ou le dessin d'une hirondelle
- un petit bouquet de marjolaine
- un grenat
- un contenant d'aluminium
- une soucoupe d'offrande

Rituel

Dans le contenant d'aluminium, faites brûler le bouquet de marjolaine avec les deux photos (ou dessins) d'oiseaux. Récupérez les cendres. Dans le centre d'une jolie soucoupe d'offrande, déposez le grenat et versez les cendres dessus. Exposez le tout aux rayons de la lune pendant 21 jours. Récupérez le grenat et versez les cendres dans une petite boîte que vous garderez constamment sur vous. Dès que vous apercevrez l'élu de votre cœur, jetez-lui-en une pincée (à son insu) en prononçant tout bas les mots suivants :

Par Scheva, je veux que tu m'aimes.

LAPIS-LAZULI

POUR ACCROÎTRE LA FERTILITÉ

Accessoires et ingrédients

- une bougie rose
- une enveloppe blanche
- un carré de papier blanc
- 1 pincée de racine de ginseng
- quelques pétales de géranium
- un lapis-lazuli

Rituel

Allumez la bougie et l'encens. Au centre de votre papier, inscrivez le mot «LAGU». Déposez au centre votre lapis-lazuli, saupoudrez de ginseng, ajoutez les pétales de géranium, puis repliez les coins du papier pour enfermer le tout. Placez dans votre enveloppe et cachetez-la.

Portez sur vous, particulièrement lorsque vous êtes auprès de votre partenaire.

OPALE

POUR RETROUVER UN AMOUR PERDU

Accessoires et ingrédients

- deux bougies: une blanche et une rouge
- de l'encens de rose ou de patchouli
- une aiguille stérilisée
- une petite opale

Rituel

Allumez vos bougies et faites brûler l'encens. Piquez le bout de votre doigt pour obtenir une goutte de sang. À l'aide de votre aiguille, tracez vos initiales ainsi que celles de l'être aimé sur la pierre. Concentrez-vous sur l'image du couple que vous formiez et que vous voulez retrouver. Tracez, toujours avec votre sang, trois cercles entourant vos initiales et celles de l'être aimé en répétant:

Par mon sang, je t'aime toujours.
Je pense à toi nuit et jour.
Reviens-moi rapidement

Afin que cesse ce tourment.
Ainsi soit-il.

Prenez quelques instants pour vous concentrer sur les raisons qui vous amènent à souhaiter son retour. Laissez brûler vos bougies et l'encens jusqu'à la fin en pensant à l'être aimé.

QUARTZ ROSE

POUR RENFORCER L'AMOUR

Accessoires et ingrédients

- une feuille de papier blanc
- un stylo plume
- neuf gouttes de votre sang
- de l'encre rouge
- neuf pétales de rose
- un quartz rose
- une enveloppe blanche
- une bougie rose

Rituel

Allumez votre bougie rose. Écrivez ensuite une lettre extrêmement passionnée avec l'encre rouge à laquelle vous aurez ajouté les neuf gouttes de votre sang; dessinez-y également un cœur. Déposez votre lettre pliée dans l'enveloppe avec les pétales de rose et le quartz rose. Cachetez-la et cachez-la dans un endroit sûr connu de vous seul.

RHODOCHROSITE

PHILTRE D'AMOUR

Accessoires et ingrédients

- une rhodochrosite
- 1 pincée de romarin
- 2 pincées de thym
- 2 c. à thé (10 ml) de thé noir (ou un sachet bon pour deux tasses)
- 1 pincée de coriandre
- trois feuilles de menthe fraîche
- cinq pétales de rose

- le zeste séché d'un citron
- 1 c. à soupe (15 ml) de miel

Rituel

Placez tous les ingrédients (y compris la rhodochrosite) dans une théière pouvant contenir plus de trois tasses. Versez 3 tasses (750 ml) d'eau bouillante en disant:

Par la magie de ces herbes et de cette pierre,
J'appelle à moi un compagnon (une compagne)
Pour partager mes joies et soutenir mes peines.
Qu'il (elle) vienne à moi sans tarder.

Laissez infuser 13 minutes. Retirez la rhodochrosite, déposez-la dans votre tasse et versez l'infusion dessus. Buvez chaud et gardez le reste au réfrigérateur pour en boire les deux soirs suivants. N'oubliez pas de récupérer la pierre et de la mettre au fond de votre tasse les deux soirs suivants *avant* d'y verser votre tisane chaude.

TOURMALINE

POUR ATTIRER L'AMOUR

Accessoires et ingrédients

- une bougie rose ou rouge
- un petit sac de soie rose
- 1 pincée d'herbe à chat
- 1 pincée de thym
- une tourmaline

Rituel

Dans le sac de soie rose, déposez l'herbe à chat, le thym et la tourmaline. Allumez la bougie et consacrez votre gris-gris en élevant votre petit sac vers le ciel et en disant:

Je consacre ce talisman aux quatre éléments:
La terre, le feu, l'eau et l'air.
C'est maintenant un outil magique
Qui servira son porteur
En tout bien tout honneur
Et lui permettra de trouver l'amour de sa vie.
Ainsi soit-il.

Ce gris-gris doit être conservé dans un endroit connu seulement de son propriétaire; de plus, il ne peut être ni prêté, ni exposé, ni ouvert sans quoi il perdra tous ses pouvoirs. Pour bénéficier de ses bienfaits, portez-le sur vous le plus souvent possible et dormez avec lui.

ZIRCON

PHILTRE DE LA PASSION

Accessoires et ingrédients

- une petite bouteille d'eau de source
- un flacon de verre
- un bijou orné d'un zircon
- un sachet de tisane ou une boîte de jus de fruits surgelé

Rituel

Versez l'eau de source dans le flacon de verre et mettez-y à tremper le bijou. Exposez-le au soleil pendant 48 heures. Retirez-en ensuite le bijou, puis servez-vous de cette eau magique pour vous faire soit une tisane, soit un jus de fruits. Buvez lentement en pensant à l'objet de votre passion. Cela peut être une personne ou un bien matériel.

RITUELS AVEC DES PHOTOS

POUR SCELLER UN AMOUR

Accessoires et ingrédients

- une photographie de votre couple
- une bougie rouge
- du sel

Rituel

Munissez-vous d'une photographie de votre couple (ou, à la rigueur, de deux photos, une de vous et une de votre partenaire, disposées l'une à côté de l'autre). Prenez une bougie rouge et placez-la au centre de la photographie. Ensuite, faites un cercle de sel tout autour. Craquez une allumette et, la main droite sur le cœur, allumez la bougie de la main gauche en disant :

Cette flamme symbolise notre union,
Ce feu ardent de l'amour.
Ensemble à l'unisson,
Liés l'un à l'autre pour toujours.

Méditez sur ces paroles en regardant la flamme pendant un moment et laissez la bougie s'éteindre d'elle-même.

POUR SE FAIRE CONTACTER

Accessoires et ingrédients

- une bougie blanche
- un verre d'eau

- une photographie de la personne aimée
- du sel

Rituel

Ce rituel consiste à provoquer, chez la personne aimée, une envie de communiquer avec vous.

À l'intérieur d'un cercle magique, allumez un encens d'amour. Ensuite, allumez la bougie et déposez-la sur votre autel. Placez la photographie devant la bougie. Puis, prenez dans votre main droite une poignée de sel et versez-en une petite quantité dans le verre d'eau tout en disant avec conviction :

Appelle-moi, mon amour, car tu m'entends.

Répétez le tout trois fois.

Ensuite, déposez le verre sur l'autel devant la bougie et appuyez la photographie contre le verre. Fixez-la profondément en imaginant fortement que cette personne doit vous appeler à tout prix. Elle devrait le faire d'ici à ce que l'eau se soit évaporée complètement.

POUR FORCER SON AMOUR

Accessoires et ingrédients

- une bougie rose
- une photographie de la personne aimée
- un morceau de tissu rouge
- des fleurs d'oranger
- une ficelle rouge

Rituel

Un vendredi de lune croissante, à la lueur d'une bougie rose, allumez l'encens. Étendez sur votre autel un morceau de tissu et déposez au centre de celui-ci des fleurs d'oranger. Placez sur les fleurs la photographie. Visualisez maintenant avec toute la force dont vous disposez que vous êtes avec votre amour, que cette personne vous aime et vous serre affectueusement dans ses bras. Dites ensuite :

Bats pour moi, cœur de mortel.
Rêve à moi sous la lune si belle.
Viens vers moi sous le soleil d'or,
Maintenant et par-delà la mort !

Ensuite, faites une pochette avec le tissu et attachez-la solidement avec de la ficelle rouge. Enterrez votre charme le plus près possible de la fenêtre de chambre de la personne aimée.

POCHETTE D'AMOUR

Accessoires et ingrédients

- une petite bougie blanche
- une photographie de la personne aimée
- une aiguille
- un sachet d'herbes

Rituel

Confectionnez une pochette avec un morceau de tissu rouge. À l'intérieur, placez-y les herbes d'amour suivantes: basilic, pétales de rose et verveine. Ajoutez si possible un objet ayant appartenu à la personne aimée ou une mèche de cheveux et sa photographie. Ensuite, prenez l'aiguille et gravez sur la bougie la phrase suivante:

Mon amour unique,
Viens vers moi,
Ceci est ma volonté,
Telle soit!

Puis, allumez la bougie et déposez-la sur votre autel. Fixez la flamme et visualisez-vous en compagnie de la personne que vous aimez, entrelacés et amoureux. Quand la bougie sera éteinte, récupérez les restes de cire, placez-les à l'intérieur de votre pochette et refermez-la. Portez-la sur vous dans tous vos déplacements. Pour rompre ce sort, brûlez la pochette et jetez les cendres dans une rivière.

POUR BRISER UN CHARME D'AMOUR

Accessoires et ingrédients

- un chaudron magique ou un bol noir
- une bougie noire
- une photographie du couple

Rituel

Placez et fixez une bougie noire dans votre chaudron magique. Ensuite, remplissez le chaudron avec de l'eau fraîche. Concentrez-vous et allumez la bougie. Imaginez que la puissance du charme d'amour se transfère et réside à présent dans la flamme de la bougie. Asseyez-vous silencieusement. Contemplez la flamme et visualisez la puissance s'accumuler en s'intensifiant. Transférez le charme entièrement. Puis, prenez la photographie du couple et brûlez-la. Quand vous ne pourrez plus tenir la photographie, jetez-la dans le chaudron. Continuez cette visualisation jusqu'à ce que la flamme s'éteigne d'elle-même dans l'eau. Comme elle s'éteint, le sort sera dissipé. Enterrez les restes dans un terrain vague.

POUR ROMPRE DOUCEMENT UNE RELATION

Accessoires et ingrédients

- une bougie noire pour l'homme
- une bougie rouge pour la femme
- une photographie du couple
- une aiguille

Rituel

Ce rituel peut être pratiqué pour vous ou pour une personne qui vous demande de l'aide.

Avec une aiguille, gravez le nom des personnes sur leurs bougies respectives. Prenez ensuite la bougie représentant le partenaire dans vos mains et dites-lui pourquoi il n'y a plus de réciprocité pour ses sentiments amoureux. Souhaitez-lui tout le bien qu'il mérite et qu'il puisse rencontrer son futur amour.

Visualisez la personne heureuse de nouveau. Placez les bougies côte à côte sur la photographie, allumez-les et séparez-les de quelques centimètres. Laissez-les brûler pendant 15 minutes pendant que vous visualiserez la rupture de cette relation en bons termes. Répétez le même procédé chaque jour en éloignant de plus en plus les bougies l'une de l'autre. Après une semaine, déchirez la photographie en deux, prenez les restes de bougies et enterrez-les dans le sol en visualisant la rupture.

FIN DE RELATION

Accessoires et ingrédients

- une bougie noire
- une photographie de la personne que vous désirez quitter
- un ruban noir

Rituel

Concentrez-vous un moment sur la relation à terminer et allumez la bougie. Concentrez vos pensées sur la personne en regardant sa photographie. Suggérez-lui de vous quitter. Puis, attachez le ruban noir autour de la photographie, au niveau des yeux, signifiant que vous désirez maintenant être hors de vue. Dites ensuite :

Sans mal envers toi, tel soit!
(Dites le nom de la personne),
Je me libère de ton amour.
Tu t'éloignes et ne me regardes plus,
La relation est terminée,
Car telle est ma volonté!

Pendant que brûle la bougie, imaginez fortement la personne vous quittant en bons termes. Concluez en enterrant la photographie dans un terrain vague, le plus loin possible de votre demeure.

SORT D'AMOUR TOUT USAGE

Accessoires et ingrédients

- une bougie rouge
- un cristal de quartz
- une photographie de la personne aimée

Rituel

Prenez une bougie rouge et gravez-y, à l'aide du quartz, un symbole représentant ce que vous désirez obtenir de la personne aimée. Sentez votre énergie pénétrer la bougie alors que vous gravez le symbole et visualisez fortement votre désir comme s'il était déjà accompli. Allumez ensuite la bougie et poursuivez votre visualisation pendant au moins une trentaine de minutes. Plus vous y mettrez d'énergie, plus les résultats seront tangibles. Prenez enfin la photographie et brûlez-la dans la flamme en disant :

(Dites le nom de la personne aimée), *tu brûles d'amour pour moi*, (dites votre nom),
Feu éternel, tu m'aimes, Feu de passion, je t'aime,
Puissent les dieux bénir notre union!

POUR ÉLOIGNER UN PRÉTENDANT

Accessoires et ingrédients

- quatre boules de cire noire
- quatre aiguilles

- 1 pincée de poivre
- une photographie du prétendant à éloigner

Rituel

Quelqu'un tente de courtiser l'un de vos proches et vous savez qu'il ne lui apportera que du mal? Vous pouvez agir, mais attention au choc en retour si votre action n'est pas justifiée! Par une nuit de lundi, lorsque la lune est décroissante, fabriquez quatre boules de cire et incorporez-y un morceau de la photographie (déchirée en quatre) ainsi que le poivre. Passez les boules de cire et les aiguilles neuf fois dans la fumée en disant:

Rien ne persiste, rien ne perdure.
Tout lui résiste, car c'est une ordure!
Aucune émotion pour ce prétendant mal intentionné.
Cet amour est étouffé,
La passion déjà consumée!
Dos à dos, chacun son chemin,
Car telle est ma volonté!

Insérez les aiguilles dans chaque boule de cire. Placez les charmes aux endroits où le couple a l'habitude de se trouver. Le résultat sera tel que le couple se querellera et finira par se séparer.

LES TALISMANS AMOUREUX

Comme vous avez sûrement pu vous en apercevoir au fil des pages de cet ouvrage, il existe de nombreuses facettes à la magie, et d'autant plus de manières de provoquer les choses et les événements de la vie courante pour parvenir aux buts que vous vous êtes fixés en amour.

Dans l'Univers, tout est interrelié; les arbres et les plantes sont reliés à la terre, au soleil, à l'eau; les marées sont reliées à la lune; les planètes gravitant autour du soleil sont reliées les unes aux autres. Tous ces éléments forment un *TOUT*.

Ainsi en est-il pour les talismans. Ils sont reliés à un désir profond, à une idée bien définie, et sont également intimement liés aux astres et aux éléments. Même les esprits ou les intelligences planétaires sont sous les auspices de ces corps célestes. La magie talismanique est une nouvelle arme que vous pourrez mettre à profit. Suivez scrupuleusement les indications qui suivent et le succès ne manquera pas de frapper à votre porte. Retenez que la création d'un talisman est un rituel en soi. Or il n'est nullement nécessaire d'agir avec hâte. Prenez tout votre temps pour bien vous préparer. Un talisman griffonné rapidement sur le coin d'une table ne sera jamais efficace.

La tradition demande que les talismans soient gravés sur des plaques métalliques analogues aux métaux planétaires. Les puristes vous diront évidemment que l'on ne peut déroger de cette règle; cependant, il est possible d'outrepasser de tels procédés. Au lieu d'utiliser des métaux (comme l'or et l'argent qui s'avèrent plutôt coûteux et difficiles à travailler), vous vous rangerez du côté des couleurs planétaires. En effet, vous pouvez tracer vos talismans avec les encres analogues à la planète régissant le talisman. Par exemple, un talisman de Vénus qui devrait être gravé sur le cuivre sera tracé avec une encre de couleur verte.

Si vous optez pour les encres planétaires, vous devrez utiliser des feuilles de papier blanches comme base pour tous vos talismans. C'est une solution de rechange fiable et on ne peut plus abordable.

COMMENT FABRIQUER UN TALISMAN

Le procédé est presque identique à celui des carrés magiques. Pour commencer, créez un espace de travail dédié à cette œuvre. Tracez un cercle magique et purifiez-le. Vous pouvez utiliser des bougies de couleur analogue au talisman que vous disposerez aux quatre points cardinaux et sur votre autel – ou votre espace de travail. Ensuite, allumez un encens d'amour ou un encens ayant une correspondance avec le but du travail (de préférence). Asseyez-vous face à l'est (ou face au point cardinal dans le cas d'un talisman élémentaire) et détendez-vous. Mentalisez votre désir de façon très intense, comme s'il était déjà réalisé (voyez-vous dans les bras d'une autre personne, par exemple), pendant une dizaine de minutes. De cette manière, juste par la pensée, vous réussirez à amplifier et à ajuster l'atmosphère vibratoire, *un grand secret sur le succès en magie*. Puis, prenez votre matériel et tracez le talisman avec minutie.

COMMENT DONNER VIE À UN TALISMAN

À présent, vous allez donner vie à votre talisman. Bien que votre talisman soit puissant en lui-même, le don de la vie est une étape fort importante pour décupler sa puissance suggestive.

Placez le talisman au centre de l'autel. Fermez les yeux et visualisez votre désir le plus intensément possible pendant un bon moment. Voyez l'énergie de votre désir devenir de plus en plus tangible et présente. Ressentez sa chaleur monter en vous. Visualisez l'énergie s'étendre en dehors de votre corps, comme si vous étiez entouré d'une aura de puissance. Dirigez cette énergie dans vos mains. Compressez-la. Maintenant, tout en gardant l'image mentale de votre désir, étendez vos mains au-dessus du talisman et projetez-y toute cette énergie en un éclair. Assurez-vous de transférer entièrement l'énergie. Au même moment, répétez en guise de mantra le nom des entités reliées au talisman, s'il y en a, l'effet qu'il doit apporter, le nom de la planète qui le régit, ou un amalgame de toutes ces options.

Votre talisman est terminé. Enveloppez-le dans un morceau de tissu neuf de la couleur planétaire correspondante ou blanc universel. Généralement, les praticiens préfèrent l'utilisation de la soie pour ses qualités isolantes afin de ne pas disperser la charge du talisman Toutefois, le coton ou le cuir est convenable.

Lorsque votre talisman a accompli sa tâche ou que vous voulez vous en départir et rendre sa charge inactive, retournez-le à la terre en l'enterrant dans le sol. À défaut de l'enterrer, brûlez-le et jetez les cendres aux quatre vents.

Les talismans suivants sont présentés ainsi que la planète, le métal et la couleur planétaire qui lui sont associés.

11	24	7	20	3
4	12	25	8	16
17	5	13	21	9
10	18	1	14	22
23	6	19	2	15

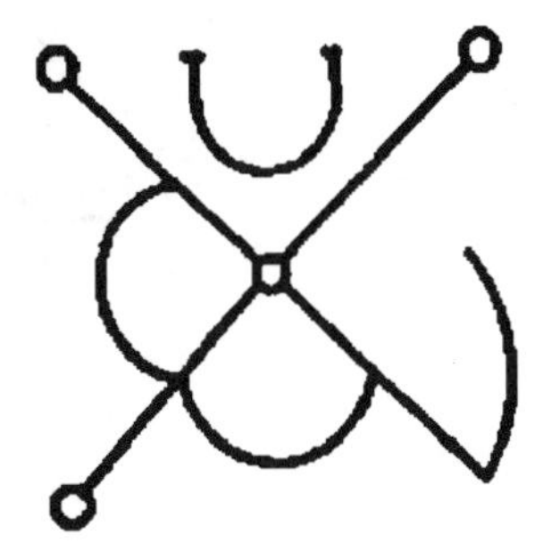

Analogies

Mars, fer, rouge

Champ d'influence

Talisman de la planète Mars. Utilisez-le lorsque vous désirez baigner dans les énergies martiennes. Il prédispose son possesseur à l'ardeur et à la force sexuelle. Le carré magique de Mars sera tracé d'un côté, et son caractère sera tracé sur l'autre surface.

Analogies

Mars, fer, rouge

Champ d'influence

Talisman qui invoque les esprits de Mars. Utilisez-le lorsque vous désirez mettre fin à une relation amoureuse, qu'elle soit la vôtre ou celle d'un autre couple. Toutefois, prenez garde: les esprits de Mars peuvent provoquer les querelles et la colère.

Analogies

Soleil, or, jaune ou doré

Champ d'influence

Talisman solaire. Utilisez-le lorsque vous désirez obtenir une certaine *invisibilité* face aux prétendants récalcitrants ou que vous voulez passer inaperçu aux yeux de votre *ex*.

22	47	16	41	10	35	4
5	23	48	17	42	11	29
30	6	24	49	18	36	12
13	31	7	25	43	19	37
38	14	32	1	26	44	20
21	39	8	33	2	27	45
46	15	40	9	34	3	28

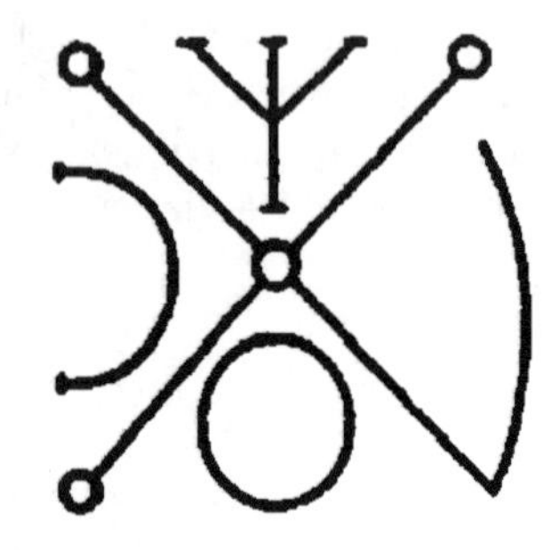

Analogies

Vénus, cuivre, vert

Champ d'influence

Talisman de la planète Vénus. Utilisez-le lorsque vous désirez baigner dans les énergies vénusiennes. Il apporte l'amour à son possesseur, l'entente et l'affection entre les époux. Il éloigne les manœuvres de l'envie et de convoitise. Si vous faites boire à un ennemi une boisson dans laquelle a trempé le talisman de Vénus, la haine de cet ennemi se transformera en affection et en dévouement à toute épreuve. Le carré magique de Vénus sera tracé d'un côté, et son caractère sera tracé sur l'autre surface.

Analogies

Vénus, cuivre, vert

Champ d'influence

Talisman qui invoque les esprits de Vénus, dont Nogahiel, Acheliah, Socodiah et Nangariel. Pour les causes de l'amour en général.

Analogies

Vénus, cuivre, vert

Champ d'influence

Talisman de Vénus pour obtenir les grâces et les honneurs des personnes que vous aimez. Il provoquera chez celles-ci le désir d'accomplir tout ce que vous désirez.

Analogies

Vénus, cuivre, vert

Champ d'influence

Autre talisman de Vénus. Il doit être vu par la personne dont vous désirez obtenir l'amour. L'esprit Monachiel doit aussi être invoqué au jour et à l'heure de Vénus, à 1 h ou à 8 h.

Analogies

Vénus, cuivre, vert

Champ d'influence

Puissant talisman de Vénus. Il contraint les esprits de Vénus à l'obéissance de façon à forcer quiconque de votre choix à venir vers vous sur demande.

Analogies

Vénus, cuivre, vert

Champ d'influence

Talisman vénusien. Quand il est présenté et vu par la personne désirée, il incite de façon exceptionnelle à l'amour et à l'excitation.

Analogies

Jupiter, étain, bleu

Champ d'influence

Douzième sceau goétique. L'esprit Sitri, lorsqu'il est évoqué par ce sceau, enflamme le cœur des hommes et des femmes. Il cause chez les personnes visées l'envie de se montrer nues si cela est désiré par le possesseur.

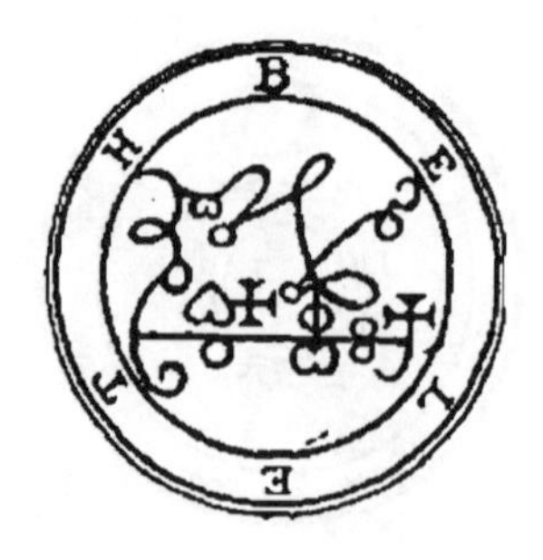

Analogies

Soleil, or, jaune ou doré

Champ d'influence

Treizième sceau goétique. L'esprit Beleth, lorsqu'il est évoqué par ce sceau, procure l'amour de tous, hommes et femmes.

Analogies

Vénus, cuivre, vert

Champ d'influence

Quinzième sceau goétique. L'esprit Eligos, lorsqu'il est évoqué par ce sceau, procure l'amour de grandes personnalités.

Analogies

Vénus, cuivre, vert

Champ d'influence

Seizième sceau goétique. L'esprit Zepar, lorsqu'il est évoqué par ce sceau, fait naître l'amour entre l'homme et la femme de votre choix et les fait tomber amoureux. Il peut toutefois les rendre stériles.

Analogies

Mercure, vif argent, orange

Champ d'influence

Dix-septième sceau goétique. L'esprit Botis, lorsqu'il est évoqué par ce sceau, aide à réconcilier un couple et à mettre un terme aux querelles.

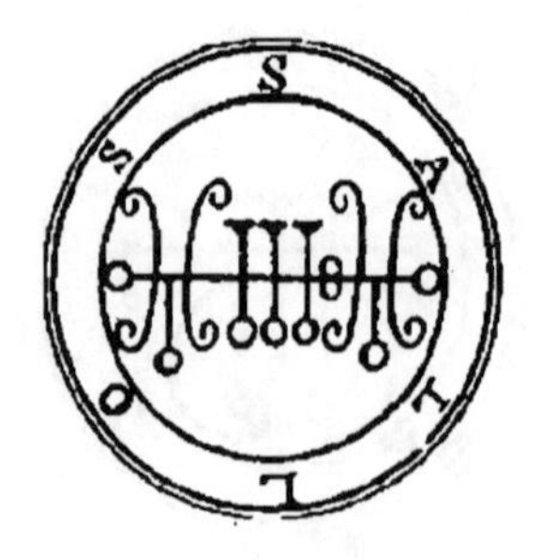

Analogies

Vénus, cuivre, vert

Champ d'influence

Dix-neuvième sceau goétique. L'esprit Saleos, lorsqu'il est évoqué par ce sceau, procure l'amour.

Analogies

Mercure, vif argent, orange

Champ d'influence

Vingt-cinquième sceau goétique. L'esprit Glasya-Labolas, lorsqu'il est évoqué par ce sceau, transforme en amour l'amitié et la haine.

Analogies

Mars, fer, rouge

Champ d'influence

Trente-quatrième sceau goétique. L'esprit Furfur, lorsqu'il est évoqué par ce sceau, consent à semer l'amour entre les hommes et les femmes.

Analogies

Vénus, cuivre, vert

Champ d'influence

Quarante-sixième sceau goétique. L'esprit Gremory, lorsqu'il est évoqué par ce sceau, fait naître l'amour entre les personnes de sexe opposé, qu'elles soient vieilles ou jeunes.

Analogies

Vénus, cuivre, vert

Champ d'influence

Quarante-septième sceau goétique. L'esprit Uvall, lorsqu'il est évoqué par ce sceau, favorise l'amitié.

Les sceaux suivants utilisent des analogies différentes des précédents.

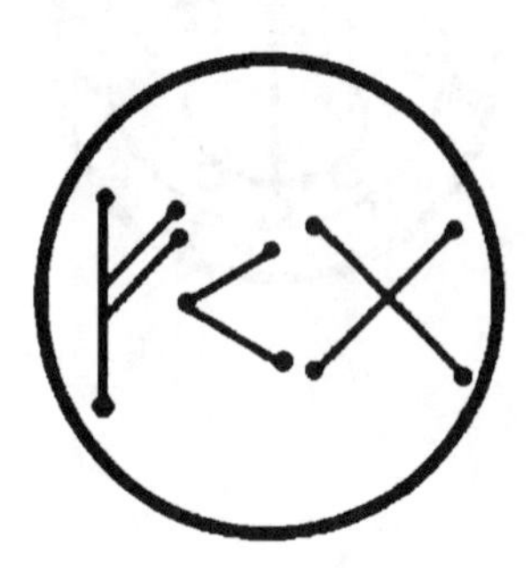

Analogies

Élément eau, bleu

Champ d'influence

Ce talisman runique prédispose son possesseur à l'amour, aux rencontres favorables et à l'amitié. Les trois runes qui le composent sont Fehu, Kenaz et Gebo.

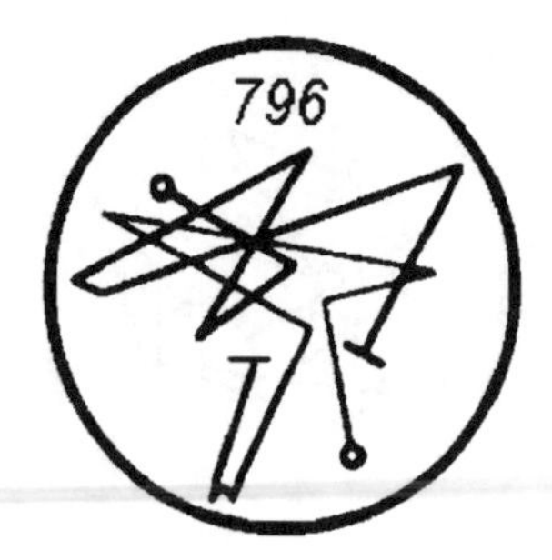

Analogies

Élément feu, rouge

Champ d'influence

Ce puissant talisman symbolise les relations sexuelles. Lorsqu'il est préparé convenablement, il favorise les rencontres et les situations qui seront vouées aux relations et aux plaisirs sexuels.

Analogies

Élément feu, rouge

Champ d'influence

Ce talisman symbolise la séparation. Lorsqu'il est préparé convenablement, il favorise les ruptures des couples désirés et les querelles. Vous devez cependant cacher ce talisman dans la demeure du couple, ou dans l'une ou l'autre des demeures si ce dernier ne vit pas sous le même toit. Prenez garde, car son utilisation risque de causer d'énormes dettes karmiques.

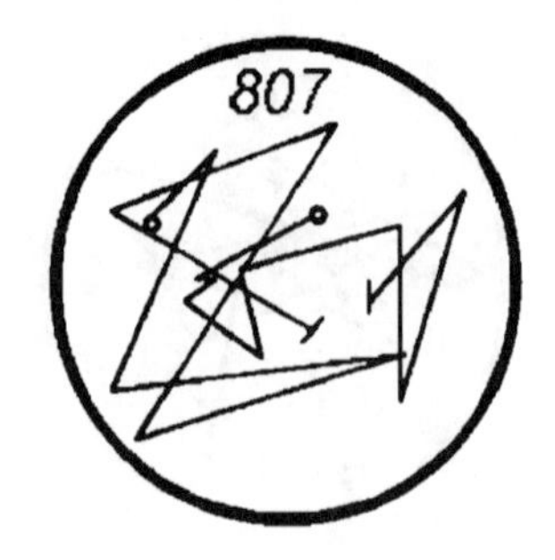

Analogies

Élément eau, bleu

Champ d'influence

Ce talisman symbolise l'attirance physique. Lorsqu'il est préparé convenablement, il attire le regard des étrangers. Le possesseur sera perçu d'une manière plus attirante et saura plaire davantage, facilitant l'approche et les rencontres amoureuses.

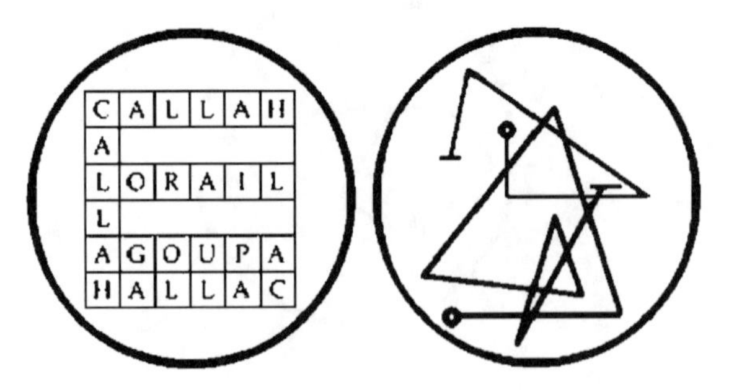

Analogies

Élément feu, rouge

Champ d'influence

Ce talisman procure l'amour et les faveurs des personnes mariées et déjà en couple.

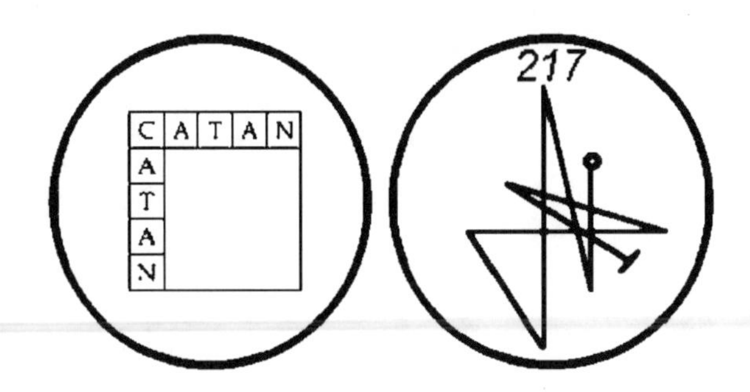

Analogies

Élément feu, rouge

Champ d'influence

Ce talisman symbolise les relations extramaritales. Lorsqu'il est préparé convenablement, il incite à l'adultère.

Analogies

Élément eau, bleu

Champ d'influence

Ce talisman favorise les mariages. Lorsqu'il est préparé convenablement, il est excellent pour les relations amoureuses à long terme, basées sur l'amour profond, la famille et le mariage.

LES GRIS-GRIS D'AMOUR

Un gris-gris? Mais qu'est-ce donc? C'est un petit sac qui permet d'attirer certaines influences ou de les disperser. Traditionnellement, ils sont faits de flanelle ou de coton, encore que certaines cultures utilisent le cuir et la soie – selon qu'il s'agisse d'un gris-gris africain, d'un mojo ou d'un sac-médecine amérindien. On peut les porter en amulette autour du cou ou à la taille, suspendus à une ceinture; vous pouvez aussi les garder dans votre poche ou dans votre sac à main. L'important, en fait, c'est que le gris-gris soit à portée de la main ou à proximité de votre corps.

Le gris-gris doit essentiellement contenir des pierres et des herbes qui sont en harmonie avec la demande; cela signifie, par exemple, qu'un gris-gris pour attirer l'amour devra contenir des pierres et des herbes qui correspondent aux vibrations de l'amour. Pour personnaliser votre gris-gris, vous pourrez ajouter à votre petit sac une mèche de vos cheveux ou un bout d'ongle; si vous préparez le gris-gris pour une autre personne, demandez-lui de vous donner une mèche de ses cheveux.

Voici le rituel type pour consacrer les gris-gris, les mojos ou les sacs-médecine; à la suite du rituel, vous trouverez la liste d'ingrédients pour différents types d'enchantements et de sortilèges.

RITUEL DE CONSÉCRATION DE VOTRE GRIS-GRIS

Devant votre autel, élevez votre sac vers le ciel et dites:

Je consacre ce talisman aux quatre éléments.
C'est maintenant un outil magique
Qui servira son porteur en tout bien tout honneur.

Allumez votre encens. Passez votre sac trois fois au-dessus de la fumée, tournez-vous vers l'est et répétez l'incantation suivante:

Ô anciens dieux de l'air
Et tous les Élémentaux et Esprits de l'est,
Je vous demande de charger ce gris-gris
De l'énergie mystique de l'air et
De votre divine lumière.

Allumez maintenant votre bougie et passez votre sac trois fois autour de la flamme, tournez-vous vers le sud et dites:

Ô anciens dieux du feu
Et tous les Élémentaux et Esprits du sud,
Je vous demande de charger ce gris-gris
De l'énergie de la flamme sacrée et
De votre divine lumière.

Placez votre gris-gris sur l'autel, versez-y trois gouttes d'eau, tournez-vous vers l'ouest et dites:

Ô anciens dieux de l'eau
Et tous les Élémentaux et Esprits de l'ouest,
Je vous demande de charger ce gris-gris
De l'énergie vitale de la source de vie et
De votre divine lumière.

Placez maintenant votre sac dans le bol contenant le sel, tournez-vous vers le nord et dites:

Ô anciens dieux de la terre
Et tous les Élémentaux et Esprits du nord,
Je vous demande de charger ce gris-gris
De l'énergie vivante de la terre et
De votre divine lumière.

Prenez votre gris-gris dans vos deux mains et élevez-le au-dessus de votre tête en répétant trois fois:

Qu'il en soit ainsi.

NOTE: Le gris-gris doit être maintenu fermé; si quelqu'un l'ouvre, il perdra tout son pouvoir.

GRIS-GRIS POUR ATTIRER L'AMOUR

Dans un sac de tissu rouge ou rose, placez une pièce de corail rose ou rouge, une mèche de cheveux et un morceau de racine de mandragore ou d'iris.

GRIS-GRIS POUR FAIRE REVENIR UN AMOUREUX

Durant la phase de la lune croissante, confectionnez un sac en flanelle rouge, puis placez-y une noix de muscade entière, une mèche de cheveux, un aimant naturel, une herbe pour la chance – du vétiver, par exemple –, trois gouttes d'huile essentielle de lavande. Fermez le sac en le cousant.

GRIS-GRIS POUR ASSURER LA FIDÉLITÉ DE SON PARTENAIRE

Dans un petit sac de flanelle verte, placez une mèche de cheveux, quelques feuilles de sauge, un aimant naturel et une feuille sur laquelle vous aurez noté votre désir de fidélité.

GRIS-GRIS POUR SÉDUIRE

Dans un petit sac noir, placez quelques feuilles de basilic, trois gousses d'ail et un petit triangle de papier blanc sur lequel vous aurez inscrit votre nom, puis versez trois gouttes du sang de votre pouce droit sur le bout de papier. Lorsque vous consacrez le gris-gris, ajoutez, à la fin de l'incantation type, la phrase suivante:

Je demande votre aide pour obtenir la force de la séduction,
Des relations heureuses qui puissent me combler,
Quelle qu'en soit la source.

C'est un gris-gris très puissant; lorsque vous rencontrez quelqu'un qui vous attire, frottez-le doucement.

GRIS-GRIS POUR ATTIRER L'AMOUR VERS VOUS

Dans un sac de soie rose, versez une pincée d'herbe à chat, une pincée de thym et une tourmaline (ou un quartz) rose.

Portez-le continuellement sur vous.

GRIS-GRIS POUR OBTENIR L'HARMONIE ET LE CALME

Dans un petit sac bleu pâle, versez quelques pincées de lavande et placez-y une aigue-marine et une amulette avec le fameux signe *Peace*. Portez-le en permanence sur vous.

LES ENVOÛTEMENTS PAR LES POUPÉES

Les poupées, communément appelées poupées vaudou, sont utilisées pour pratiquer la *magie sympathique*. Autrefois, elles étaient essentiellement associées aux prêtres vaudou – on disait d'eux qu'ils plantaient des aiguilles dans le but de faire souffrir les personnes à envoûter. De nos jours, nous savons bien que même si cela peut effectivement se produire, nous pouvons non seulement apporter des tourments et des douleurs, mais aussi l'amour et bien plus encore.

Ce type de magie vous donnera une nouvelle arme magique pour tous vos usages personnels; vous vous rendrez compte – bien assez rapidement – que leur utilisation est des plus agréables. En effet, la magie sympathique n'est ni plus ni moins que l'art de créer un lien subtil entre un objet et une personne précise (ou un animal) en se munissant d'un objet personnel ayant appartenu à la personne qui devra être soumise à l'emprise du charme. Cet objet, en l'occurrence une poupée, deviendra plus qu'une représentation: il représentera la personne elle-même.

Donc, lorsqu'une chose se produit sur ou contre la poupée, son lien – c'est-à-dire la personne – en ressent les mêmes effets. Cette technique est excellente pour envoûter quelqu'un à distance.

N'allez toutefois pas croire qu'il suffit de confectionner une poupée, de l'emplir d'une bourre et d'y planter une aiguille pour que l'envoûtement fonctionne! Vous aurez du travail à faire pour obtenir ce que vous désirez. Vous remarquerez d'ailleurs, avec le temps et après quelques expérimentations, que ce n'est pas toujours le rituel qui semble être compliqué ou difficile à accomplir, mais plutôt le matériel nécessaire qui, souvent, n'est pas toujours aussi facile à se procurer. Si vous éprouvez le sentiment que la magie avec des poupées est complexe, dites-vous bien alors que cela n'est qu'une simple conception de votre esprit.

Quoi qu'il en soit, la patience est une vertu et... vous en aurez toujours besoin tout au long de votre vie – et dans toute pratique magique. Voici en détail les étapes nécessaires à la pratique de cet art.

LA COULEUR DE LA POUPÉE

Quand vous aurez trouvé votre besoin amoureux à combler (même s'il n'y a pas que l'amour qui puisse être obtenu par les poupées magiques), reportez-vous au tableau des couleurs suivant pour savoir la couleur appropriée à utiliser. Désirez-vous obtenir l'amour d'une personne en particulier? Voulez-vous simplement adoucir des relations amicales que vous vivez présentement? Vous faire aimer d'une personne qui vous déteste? Pour vous donner un aperçu des multiples possibilités à votre portée, vous trouverez dans le tableau quelques champs d'action possibles tout en demeurant, bien sûr, dans le contexte de l'amour.

COULEURS	CHAMPS D'ACTION
Rouge	Pour un amour véritable et des passions amoureuses.
Rose	Pour l'amitié et les liens solides.
Vert	Pour les désirs charnels et sexuels.
Bleu	Pour les sentiments et les émotions.
Noir	Pour se défaire d'un amant.

LA FABRICATION DE LA POUPÉE

- La couleur étant à présent définie, commencez par tailler un rectangle de tissu d'environ 12 po x 20 po (30 cm x 50 cm). Si vous ne disposez pas d'autant de tissu, vous pouvez toujours selon vos besoins confectionner une poupée plus petite. La taille n'a pas tellement d'importance. Pliez ensuite le tissu en deux et dessinez grossièrement au crayon une forme humaine.

Par la suite, découpez la forme à l'aide d'une paire de ciseaux, ce qui vous donnera pour résultante deux formes de tissu égales que vous cousez ensemble, l'une sur l'autre, avec une aiguille et du fil de la même couleur que le tissu. Prenez soin de ne pas coudre le bout de la tête, car il doit

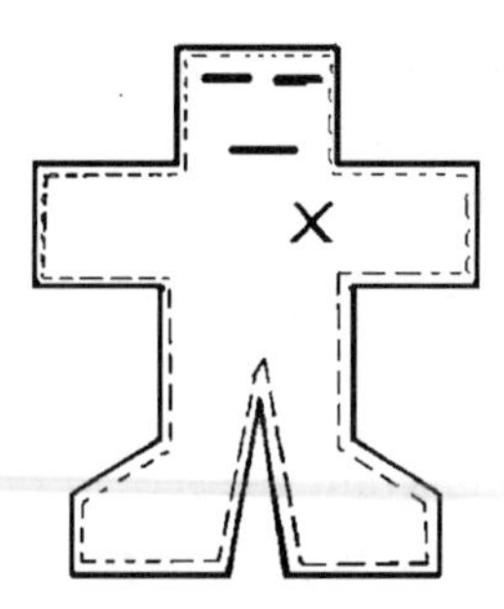

demeurer libre de façon que vous puissiez y insérer le nécessaire pendant le rituel. Reproduisez également du mieux possible les traits humains, comme les yeux, la bouche, le cœur par une croix ainsi que les organes sexuels. Retournez maintenant le tissu de telle sorte que les coutures soient vers l'intérieur.

Voilà, la première étape de confection est terminée.

- En vous reportant à la liste des herbes d'amour décrites précédemment (voir à la page 24), prenez quelques herbes de votre choix afin de bourrer la poupée. Vous aurez peut-être besoin de les écraser légèrement pour qu'elles puissent emplir les parties plus étroites. Quand votre poupée sera remplie, déposez-la sur votre autel, l'ouverture de la tête toujours non cousue, jusqu'à ce que vous soyez prêt et que l'heure soit venue pour le rituel.

NOTE : Ne vous limitez pas au tissu. Si vous le désirez, vous pouvez utiliser de la cire de couleur analogue pour fabriquer votre poupée d'amour. Toutefois, il n'est pas toujours simple d'incorporer des ingrédients à l'intérieur d'une poupée de cire. Le choix vous appartient. À vous d'employer la méthode la plus aisée.

LES PRÉPARATIFS

Dans un temple propre – votre espace de travail magique – et purifié par l'eau et le feu, placez votre poupée au centre de celui-ci, flanquée de deux bougeoirs. Vous avez également besoin de votre fil, de votre aiguille ainsi que d'articles ayant appartenu à la personne que vous désirez envoûter, tels que des rognures d'ongles, une mèche de cheveux, quelques gouttes de sang ou des vêtements qu'elle aura portés. Si vous n'êtes pas en mesure de vous procurer l'un de ces articles, prenez alors un morceau de papier et écrivez-y le nom ainsi que la date de naissance (si vous la connaissez) de la personne à envoûter.

Maintenant que vous avez rassemblé tout le nécessaire, vous n'avez qu'à attendre le moment propice pour envoûter cette personne dont l'amour à votre égard est tant convoité.

RITUELS POUR L'AMOUR

Voici cinq rituels que vous pourrez pratiquer avec vos poupées. Au premier abord, ils vous sembleront peut-être un peu longs, mais il n'en est rien. Le premier rituel sera expliqué en détail; les autres le seront partiellements car certaines des parties se répètent dans chaque rituel. Ces envoûtements correspondent aux cinq champs d'action du tableau précédent (voir à la page 164). Ils feront appel à Cernunnos, le Grand Cornu, le dieu des sorciers et des sorcières. Vous l'imaginerez venir vers vous dans sa forme semi-animale, avec sa tête couronnée d'andouillers ainsi que son phallus en érection. Voyez ses yeux briller depuis les confins de la forêt; il s'empresse de venir vers vous à la suite de votre appel. Il présidera à vos rituels et vous apportera sa force et son aide.

RITUEL (1)

POUR UN AMOUR VÉRITABLE ET DES PASSIONS AMOUREUSES

Accessoires et ingrédients

- une poupée rouge
- deux bougies rouges
- trois aiguilles
- un morceau de papier
- une coupe d'eau

Rituel

Après avoir préparé votre autel et tout le matériel à portée de la main, tracez un cercle magique conventionnel. Faites brûler une bonne quantité d'encens (voir la liste des encens d'amour, à la page 24) et assurez-vous d'alimenter votre encensoir pendant toute la durée du rituel. Allumez les bougies. Ensuite, appelez le Grand Cornu avec toute votre attention en faisant face au nord; psalmodiez alors l'incantation de Cernunnos:

Eko! Eko Azarack! Eko! Eko! Zanelack!
Eko! Eko Cernunnos! Eko! Eko, Arada!
Bagabi lacha bachabe;
Lamac cahi achababa

Karellyos!
Lamac Lamac Bachalyas;
Cabahagy Sabalyas,
Baryolas!
Lagoz atha Cabyolas;
Samahac atha femyolas,
Harrahya!

Il se peut qu'après quelques instants, un frisson vous parcoure le long du dos – Cernunnos le Cornu sera là, tout près de vous. Prenez ensuite les objets ayant appartenu à la personne que vous êtes sur le point d'envoûter ou ceux que vous aurez été en mesure de vous procurer, et insérez-les un à un à l'intérieur de la poupée, en prenant votre temps, le tout sous le regard de Cernunnos. Refermez la poupée avec l'aiguille et le fil à coudre. Si vous avez été capable de vous munir d'une mèche de cheveux, vous pouvez la coudre sur le dessus de la tête de la poupée. À présent, prenez le morceau de papier et écrivez-y votre désir. *Soyez bref et très précis*. Puis, attachez le papier au dos de la poupée. Baptisez alors votre poupée au nom de la personne en l'aspergeant d'eau à trois reprises:

Au nom de Cernunnos le Cornu,
Je te baptise au nom de (dites le nom de la personne).
Te voici maintenant
Et à jamais devenu (dites le nom de la personne).

Faites une triple croix au-dessus de la poupée avec l'index de votre main gauche et dites:

Que cette volonté soit exaucée!
Qu'il en soit ainsi!

Prenez la poupée dans la main gauche et une aiguille dans la droite. Levez-les au-dessus de l'autel et imaginez-vous ayant en main tout le pouvoir possible sur cette personne. Laissez Cernunnos vous aider dans cette phase du rituel. Laissez-vous emporter par vos émotions. Si vous ressentez le besoin de crier, faites-le! Si vous ressentez le besoin de héler le nom de Cernunnos, allez-y! Voyez la personne tomber sous votre envoûtement et ressentir ce que vous désirez. Quand vous sentirez votre puissance atteindre son zénith, dites avec foi et force:

Ce n'est pas ma main qui agit,
Mais celle de Cernunnos, le Grand Cornu.
Comme cette aiguille perce ton cœur,
Que brûlent de désir pour moi, (dites votre nom),
Les reins, l'âme et le cœur de (dites le nom de la personne)!

Plongez avec force votre aiguille dans la région du cœur en disant:

Brûle, brûle d'amour pour moi!
Que cette volonté soit exaucée!

Répétez avec les deux autres aiguilles. Enveloppez ensuite la poupée dans un morceau de tissu propre et exorcisé (purifié à l'eau et au feu), et allez la porter dans le voisinage de la personne, dans sa maison si possible. Sinon, allez l'enterrer sur son terrain à un endroit où vous êtes certain qu'elle passera.

RITUEL (2)

POUR L'AMITIÉ ET LES LIENS SOLIDES

Accessoires et ingrédients

- une poupée rose
- deux bougies roses
- trois aiguilles
- un morceau de papier
- une coupe d'eau

Rituel

Après avoir préparé votre autel et tout le matériel à portée de la main, tracez un cercle magique conventionnel. Faites brûler une bonne quantité d'encens (assurez-vous d'alimenter votre encensoir pendant toute la durée du rituel). Allumez les bougies. Ensuite, appelez la Dame des Délices avec toute votre attention; psalmodiez alors l'incantation d'Habondia:

Dame des Délices du croissant de lune,
Par les étoiles dans le firmament,
Déverse tes rayons lunaires de l'amour.
Habondia, maîtresse de la Lune qui préside à l'amour,
Entends ma voix, exauce mon vœu, accorde-moi mon désir.
Habondia, maîtresse de l'amour,
Enchante ce chant, charme ceux que je désire.
Par ta lumière lunaire,
Je t'appelle dès lors en ce lieu pour l'amour.

Après quelques instants, quand Habondia sera là, prenez les objets ayant appartenu à la personne à envoûter et insérez-les un à un à l'intérieur de la poupée, en prenant votre temps. Refermez ensuite la poupée avec l'aiguille et le fil à coudre. Puis, prenez le morceau de papier et écrivez-y votre désir. *Soyez bref et très précis*. Attachez le papier au dos de la poupée.

Baptisez alors votre poupée au nom de la personne en l'aspergeant d'eau à trois reprises.

> *Au nom de Habondia,*
> *Je te baptise au nom de* (dites le nom de la personne).
> *Te voici maintenant*
> *Et à jamais devenu* (dites le nom de la personne).

Faites une triple croix au-dessus de la poupée avec l'index de votre main gauche et dites :

> *Que cette volonté soit exaucée !*
> *Qu'il en soit ainsi !*

Prenez la poupée dans la main gauche et une aiguille dans la droite. Levez-les au-dessus de l'autel et imaginez-vous ayant en main tout le pouvoir possible sur cette personne. Laissez Habondia vous aider dans cette phase du rituel. Voyez la personne tomber sous votre envoûtement et ressentir ce que vous désirez : une profonde amitié. Laissez-vous emporter par vos émotions. Quand vous sentirez votre puissance atteindre son zénith, dites avec foi et force :

> *Ce n'est pas ma main qui agit,*
> *Mais celle de la Dame des Délices : Habondia.*
> *Comme cette aiguille perce ton esprit,*
> *Que* (dites le nom de la personne) *ne veuille que moi*, (dites votre nom),
> *comme unique ami et confident.*

Plongez avec force votre aiguille dans la région du plexus solaire en disant :

> *Tu te rapproches de moi !*
> *Que cette volonté soit exaucée !*

Répétez avec les deux autres aiguilles. Enveloppez ensuite la poupée dans un morceau de tissu propre et exorcisé (purifié à l'eau et au feu), et allez la porter dans le voisinage de la personne, dans sa maison si possible. Sinon, allez l'enterrer sur son terrain à un endroit où vous êtes certain qu'elle passera.

RITUEL (3)

POUR LES DÉSIRS CHARNELS ET SEXUELS

Accessoires et ingrédients

- une poupée verte
- deux bougies vertes

- trois aiguilles
- un morceau de papier
- une coupe d'eau

Rituel

Après avoir préparé votre autel et tout le matériel à portée de la main, tracez un cercle magique conventionnel. Faites brûler une bonne quantité d'encens (assurez-vous d'alimenter votre encensoir pendant toute la durée du rituel). Allumez les bougies. Ensuite, appelez le Grand Cornu avec toute votre attention en faisant face au nord; psalmodiez alors l'incantation de Cernunnos (voir le rituel [1], à la page 166).

Après quelques instants, quand Cernunnos le Cornu sera là, prenez les objets ayant appartenu à la personne à envoûter et insérez-les un à un à l'intérieur de la poupée, en prenant votre temps. Refermez ensuite la poupée avec l'aiguille et le fil à coudre. Puis, prenez le morceau de papier et écrivez-y votre désir. *Soyez bref et très précis*. Attachez le papier au dos de la poupée. Baptisez votre poupée au nom de la personne en l'aspergeant d'eau à trois reprises :

Au nom de Cernunnos le Cornu,
Je te baptise au nom de (dites le nom de la personne).
Te voici maintenant
Et à jamais devenu (dites le nom de la personne).

Faites une triple croix au-dessus de la poupée avec l'index de votre main gauche et dites :

Que cette volonté soit exaucée !
Qu'il en soit ainsi !

Prenez la poupée dans la main gauche et une aiguille dans la droite. Levez-les au-dessus de l'autel et imaginez-vous ayant en main tout le pouvoir possible sur cette personne. Laissez Cernunnos vous aider dans cette phase du rituel. Voyez la personne tomber sous votre envoûtement et ressentir ce que vous désirez : le désir physique. Laissez-vous emporter par vos émotions. Quand vous sentirez votre puissance atteindre son zénith, dites avec foi et force :

Ce n'est pas ma main qui agit,
Mais celle de Cernunnos, le Grand Cornu.
Comme cette aiguille perce ton âme,
Qu'hurlent de désir pour moi, (dites votre nom),
Le corps, l'âme et le sexe de (dites le nom de la personne) !

Plongez avec force votre aiguille dans la région des organes génitaux en disant:

Tu désires mon corps, tu me veux!
Que cette volonté soit exaucée!

Répétez avec les deux autres aiguilles. La deuxième sera plantée au centre de la région des côtes droites, la troisième dans la hanche gauche. Enveloppez ensuite la poupée dans un morceau de tissu propre et exorcisé (purifié à l'eau et au feu), et allez la porter dans le voisinage de la personne, dans sa maison si possible. Sinon, allez l'enterrer sur son terrain à un endroit où vous êtes certain qu'elle passera.

RITUEL (4)

POUR LES SENTIMENTS ET LES ÉMOTIONS (l'amour lent)

Accessoires et ingrédients

- une poupée de couleur bleue
- deux bougies bleues
- trois aiguilles
- un morceau de papier
- une coupe d'eau

Rituel

Après avoir préparé votre autel et tout le matériel à portée de la main, tracez un cercle magique conventionnel. Faites brûler une bonne quantité d'encens (assurez-vous d'alimenter votre encensoir pendant toute la durée du rituel). Allumez les bougies. Ensuite, appelez la Dame des Délices avec toute votre attention; psalmodiez alors l'incantation d'Habondia (voir le rituel [2], à la page 168).

Après quelques instants, quand Habondia sera là, prenez les objets ayant appartenu à la personne à envoûter et insérez-les un à un à l'intérieur de la poupée, en prenant votre temps. Refermez ensuite la poupée avec l'aiguille et le fil à coudre. Puis, prenez le morceau de papier et écrivez-y votre désir. *Soyez bref et très précis*. Attachez le papier au dos de la poupée. Baptisez alors votre poupée au nom de la personne en l'aspergeant d'eau à trois reprises:

Au nom de Habondia,
Je te baptise au nom de (dites le nom de la personne).
Te voici maintenant
Et à jamais devenu (dites le nom de la personne).

Faites une triple croix au-dessus de la poupée avec l'index de votre main gauche et dites:

Que cette volonté soit exaucée!
Qu'il en soit ainsi!

Prenez la poupée dans la main gauche et une aiguille dans la droite. Levez-les au-dessus de l'autel et imaginez-vous ayant en main tout le pouvoir possible sur cette personne. Laissez Habondia vous aider dans cette phase du rituel. Voyez la personne tomber sous votre envoûtement et ressentir ce que vous désirez d'elle: éprouver des sentiments envers vous. Laissez-vous emporter par vos émotions. Quand vous sentirez votre puissance atteindre son zénith, dites avec foi et force:

Ce n'est pas ma main qui agit,
Mais celle de la Dame des Délices: Habondia.
Comme cette aiguille perce ta perception de l'amour,
Qu'éprouvent intensément pour moi, (dites votre nom),
L'esprit, le cœur et les sentiments de (dites le nom de la personne)!

Plongez avec force votre aiguille dans la région de la tête en disant:

Tu désires mon corps, tu me veux!
Que cette volonté soit exaucée!

Répétez avec les deux autres aiguilles. La deuxième sera plantée dans la région du cœur, la troisième dans la hanche gauche. Enveloppez ensuite la poupée dans un morceau de tissu propre et exorcisé (purifié à l'eau et au feu), et allez la porter dans le voisinage de la personne, dans sa maison si possible. Sinon, allez l'enterrer sur son terrain à un endroit où vous êtes certain qu'elle passera.

RITUEL (5)

POUR SE DÉFAIRE D'UN AMANT

Accessoires et ingrédients

- une poupée noire
- deux bougies noires
- trois aiguilles
- un morceau de papier
- une coupe d'eau

Rituel

Après avoir préparé votre autel et tout le matériel à portée de la main, tracez un cercle magique conventionnel. Faites brûler une bonne quantité d'encens (assurez-vous d'alimenter votre encensoir pendant toute la durée du rituel). Allumez les bougies. Ensuite, appelez le Grand Cornu avec toute votre attention en faisant face au nord; psalmodiez l'incantation de Cernunnos (voir le rituel [1], à la page 166).

Après quelques instants, quand Cernunnos le Cornu sera là, prenez les objets ayant appartenu à la personne à envoûter et insérez-les un à un à l'intérieur de la poupée, en prenant votre temps. Refermez ensuite la poupée avec l'aiguille et le fil à coudre. Puis, prenez le morceau de papier et écrivez-y votre désir. *Soyez bref et très précis*. Attachez le papier au dos de la poupée. Baptisez alors votre poupée au nom de la personne en l'aspergeant d'eau à trois reprises:

Au nom de Cernunnos le Cornu,
Je te baptise au nom de (dites le nom de la personne).
Te voici maintenant
Et à jamais devenu (dites le nom de la personne).

Faites une triple croix au-dessus de la poupée avec l'index de votre main gauche et dites:

Que cette volonté soit exaucée!
Qu'il en soit ainsi!

Prenez la poupée dans la main gauche et une aiguille dans la droite. Levez-les haut au-dessus de l'autel et imaginez-vous ayant en main tout le pouvoir possible sur cette personne. Laissez Cernunnos vous aider dans cette phase du rituel. Voyez la personne tomber sous votre envoûtement et ressentir ce que vous désirez d'elle: s'éloigner de vous et vous laisser en paix. Laissez-vous emporter par vos émotions. Quand vous sentirez votre puissance atteindre son zénith, dites avec foi et force:

Ce n'est pas ma main qui agit,
Mais celle de Cernunnos, le Grand Cornu.
Comme cette aiguille perce ton amour,
Que s'écoulent et s'éloignent de moi, (dites votre nom),
L'amour, le désir et les sentiments de (dites le nom de la personne)!

Plongez avec force votre aiguille dans la région de la tête en disant:

Tu désires mon corps, tu me veux!
Que cette volonté soit exaucée!

Répétez avec les deux autres aiguilles. La deuxième sera plantée dans l'épaule droite, la troisième dans la hanche droite. Enveloppez ensuite la poupée dans un morceau de tissu propre et exorcisé (purifié à l'eau et au feu), et allez la porter dans le voisinage de la personne, dans sa maison si possible. Sinon, allez l'enterrer sur son terrain à un endroit où vous êtes certain qu'elle passera.

COMMENT CRÉER VOS PROPRES RITUELS

Depuis déjà un moment, nous vous fournissons des rituels diversifiés et efficaces pour toutes sortes de causes et produisant différents effets. Depuis, vous avez accumulé dans votre livre des ombres (*Book of Shadows*) bon nombre de charmes et de sortilèges pour différentes circonstances et différents événements. Évidemment, vous êtes la seule personne à savoir ce qui est vraiment bon pour vous et quels sont vos propres besoins. Or s'il vous arrivait de chercher un rituel pour un besoin très précis et que vous vous retrouviez confronté devant des recherches qui s'avéreraient vaines, pourquoi ne tenteriez-vous pas alors de composer vous-même ce rituel? C'est non seulement faisable, mais à la portée de tous...

Vous pourriez être surpris de voir que, parfois, les rituels écrits de votre main apportent d'excellents résultats, positifs et tangibles. Les étapes suivantes présentent en quelque sorte un squelette de rituel qui comporte, en outre, les parties principales pour l'élaboration d'un rituel personnel plus complexe.

PRÉLIMINAIRES

• Le but du rituel

C'est le but, la raison première, le désir d'accomplissement auquel vous aspirez. Assurez-vous que vous ne planifiez pas un rituel pour assouvir un besoin égocentrique qui va à l'encontre de la volonté d'autrui. Bien entendu, vous pouvez outrepasser cet avertissement, mais vous devrez alors composer avec la loi du triple retour.

- **Les recherches**

Pour composer un bon rituel, vous devrez procéder à quelques recherches: les correspondances quant aux éléments respectifs de votre rite, les divinités à invoquer (s'il y en a), les analogies à respecter, les éléments universels tels que l'eau, l'air, etc.

- **Les outils magiques**

Vous devrez vous procurer les outils nécessaires au rituel: bougies, baguette, grimoire, athamé, parchemin, encres, etc.

- **La composition du rituel**

Composez et transcrivez votre rituel dans votre recueil magique, le grimoire.

- **La préparation du temple**

Consacrez et purifiez votre temple (ou votre espace de travail) afin qu'il soit fin prêt et libre de toutes influences.

- **La préparation personnelle**

Concentrez-vous en vous relaxant et en méditant; détendez votre corps, mais aussi votre esprit.

- **L'ouverture du cercle**

Préparez la porte entre les mondes.

Appelez les Tours de guet et leurs éléments respectifs: l'eau, l'air, le feu et la terre.

Invoquez les divinités: connectez-vous mentalement avec l'aspect divin que vous avez choisi. Invoquez la ou les divinités mentalement et verbalement; demandez d'être présent et d'assister à votre rituel. Sachez néanmoins que le Divin est toujours présent, mais si vous lui faites une demande précise, son apport est remarquable.

- **La déclaration du rituel**

Déclarez que vous ouvrez la cérémonie et indiquez-en le but (apport de la volonté). Procédez aux travaux magiques.

Manifestation de l'énergie: Accumulez l'énergie. Augmentez sa puissance mentalement, par la visualisation et le chant (utilisation d'un mantra).

Confection et consécration: Confectionnez et consacrez les bougies, le talisman, la poupée, la bague, etc.

Direction de l'énergie: Condensez et dirigez l'énergie vers les objets ou vers votre but à atteindre.

Méditation et visualisation: Travail mental et concrétisation de la volonté par sa projection sur le plan mental.

Remerciements aux divinités: Remerciez les divinités pour leur présence et leur soutien.

- **La fermeture du cercle**

Fermez le cercle mentalement et physiquement, en exécutant les bannissements appropriés.

Disposez du matériel utilisé. Dans le cas d'offrandes, vous pouvez les jeter aux quatre vents ou les disposer dans la nature.

Rangez vos outils.

En respectant toutes ces étapes, vous pourrez ainsi arriver à créer un rituel efficace.

ET SI ÇA NE FONCTIONNE PAS?

Voici, en guise de conclusion, quelques dernières lignes qui vous seront fort utiles pour analyser les causes possibles des échecs que vous pourriez essuyer en magie rose ou blanche.

Que vous soyez débutant dans le domaine ou sorcier aguerri et expérimenté, il se pourrait que vos rituels ne semblent pas avoir atteint leurs buts en certaines occasions et que rien ne se soit produit.

Vous n'êtes pas le seul à qui cela est arrivé; vous ne devez surtout pas vous en faire, car cela arrive même aux plus doués, aux praticiens de premier ordre – non, n'allez pas brûler tous vos livres et votre matériel de magie!

Évidemment, lorsqu'une telle chose se produit, on a tendance à se poser comme question: *Mais pourquoi est-ce que ça n'a pas fonctionné?*

DES RÉSULTATS... DIFFÉRENTS

Gardez bien à l'esprit que, parfois, vous obtiendrez des résultats concrets, mais par des moyens inattendus que vous n'auriez jamais soupçonnés. Soyez attentif aux changements dans votre environnement. Hormis cette possibilité, vous êtes au courant que lors d'un rituel, plusieurs éléments sont mis en œuvre pour que les résultats puissent se produire et devenir tangibles. Or pourquoi un rituel ne vous apporte pas ce qu'il est censé vous apporter comme bénéfices? Pourquoi ne pouvez-vous pas récolter la gloire et les dividendes lorsque vous avez procédé à toutes les étapes vitales d'un rituel magique?

Voici donc une liste de questions que vous utiliserez afin de connaître l'élément (ou même les éléments) perturbateur. Prenez le temps de bien vous interroger. La réponse se trouvera forcément dans les quelques lignes suivantes. Sachez notamment que si vous n'avez pas encore vécu un échec magique, cela est tant mieux! Lisez quand même ce qui suit: un sorcier averti en vaut deux!

Avais-je un doute de l'efficacité du rituel?

Si vous ne croyez pas en l'efficacité d'un rituel, celui-ci ne fonctionnera jamais. Ne faites pas une action magique en laquelle vous n'avez guère la foi, c'est un peu comme encourager quelqu'un dont on sait qu'il n'atteindra pas son but.

Avais-je un doute de mes propres capacités?

Si vous ne croyez pas en vous, en quoi pouvez-vous croire? La réussite dépend de vous. Lors d'un rituel, vous êtes le chef d'orchestre des énergies cosmiques et naturelles.

Qu'en était-il de la phase lunaire, de la température?

La phase lunaire était-elle adéquate? Vous savez depuis longtemps que la lune influence les éléments naturels, mais aussi les hommes. Or si certaines phases lunaires sont favorables à certains travaux, elles peuvent être défavorables à d'autres. Vérifiez. Par ailleurs, la température peut influencer les hommes et, surtout, les magiciens et les sorciers. Remarquez quels ont été vos résultats pendant les jours de pluie, de neige, etc.

Ai-je œuvré au moment favorable?

Ce n'est pas pour compliquer les choses que l'on répète souvent qu'œuvrer aux bonnes heures planétaires est important pour obtenir de bons résultats. Plus vous travaillerez dans les bons moments, plus les courants d'énergies seront favorables, meilleurs seront vos propres résultats!

Mon esprit était-il concentré et attentif à ce qu'il faisait?

L'un des problèmes les plus fréquents dans une société comme celle dans laquelle nous vivons est notre capacité à nous détacher de nos tâches et de nos préoccupations quotidiennes. Quand vous vous apprêtez à faire un rituel, vous devez vous détacher de tout le reste pour la durée complète du rituel; vous ne devez avoir l'esprit qu'à ce que vous faites.

Étais-je pressé par le temps?

En magie, il est d'une importance capitale que de prendre son temps! Si vous vous dépêchez à finir un rituel, vous ferez tout de travers et l'énergie déployée – et nécessaire au succès – ne sera guère suffisante. Donc, si vous ne disposez pas de suffisamment de temps, remettez vos travaux magiques à un autre jour.

Étais-je bien préparé au rituel?

Pratiquer un rituel demande de la préparation, tant pour les préliminaires et les accessoires que pour le corps. Assurez-vous d'avoir à portée de la main tout ce qui est requis avant d'entreprendre un rituel. Cela vous semblera simpliste comme conseil, mais cela arrive plus souvent qu'autrement qu'on oublie ou qu'on cherche... Or ce n'est pas le temps d'être déconcentré en s'étirant à bout de bras pour prendre l'encens pendant un incantation! Vérifiez donc que tout votre matériel est bien là où il doit être.

En ce qui concerne le corps physique, vous verrez par vous-même, avec un peu d'imagination, les implications qu'il comporte. Ayez le corps propre, soyez détendu et, surtout, soyez à votre aise dans vos vêtements magiques. Tout ce qui peut attirer votre attention hors du contexte du rituel peut être synonyme d'échec.

Ai-je interrompu le rituel?

Interrompre un rituel peut avoir des conséquences désastreuses. L'énergie qui a été emmagasinée par la force de votre concentration se dissout et tout est à refaire. Si, pour une raison ou pour une autre, vous deviez vous arrêter momentanément, mieux vaut remettre le rituel à un autre jour. Sachez interpréter les signes, rien n'arrive pour rien. Si cela devait arriver, dites-vous simplement, et sans regret, que vous n'étiez sûrement pas dû pour pratiquer ce rituel à ce moment précis. Qui sait, vous vous apercevrez peut-être que, finalement, pour une raison subtile à ce moment, vous avez pris la bonne décision de remettre cette opération magique à plus tard.

Qu'en est-il de ma santé?

Une mauvaise condition physique peut être la cause de certains échecs. Comment déployer une énergie créatrice assez forte alors que vos forces vous ont temporairement quitté? Si vous êtes enrhumé, fiévreux, malade, il serait sage de prendre soin de vous avant d'entreprendre toute action magique. Vous êtes vous-même l'énergie derrière vos rituels; alors si votre batterie est à plat, prenez le temps de la recharger avant de passer à l'action!

Ai-je utilisé des substituts aux accessoires requis?

S'il vous manque un ingrédient important pour une recette, ne le remplacez pas par n'importe quoi. Il existe parfois de bons substituts, parfois aucun – et parfois, il n'est pas nécessaire d'en avoir. L'expérimentation est excellente, mais tout en demeurant dans la bonne mesure des choses.

L'endroit où je pratique mes rituels est-il convenable?

Peut-être que l'endroit où vous pratiquez vos rituels est inadéquat. Si vous croyez que c'est le cas, changez d'endroit. Allez dans une autre pièce ou pratiquez vos rituels à l'extérieur, dans un jardin ou un petit boisé tranquille, loin des regards indiscrets. En plus, vous vivrez l'expérience et le contact direct avec la nature.

TABLE DES MATIÈRES

transcontinental
IMPRESSION
IMPRIMERIE GAGNÉ